LA COMEDIA ELECTORAL

LA COMEDIA ELECTORAL

DIARIO DE CAMPAÑA DE UNA EX NIÑA BIEN

GUADALUPE LOAEZA

temas 'de hoy.

Diseño de portada: Juan Jacobo Vaz
Foto de autora: Blanca Charolet / Archivo de la autora

© 2009, Guadalupe Loaeza

Derechos reservados

© 2009, Editorial Planeta Mexicana, S.A. de C.V.
Bajo el sello editorial TEMAS DE HOYMR
Avenida Presidente Masarik núm. 111, 2o. piso
Colonia Chapultepec Morales
C.P. 11570 México, D.F.
www.editorialplaneta.com.mx

Primera edición: noviembre de 2009
ISBN: 978-607-07-0282-2

Impreso en los talleres de Litográfica Ingramex, S.A. de C.V.
Centeno núm. 162, colonia Granjas Esmeralda, México, D.F.
Impreso y hecho en México − *Printed and made in Mexico*

Para Federico, mi estratega personal

Prólogo

Prólogo

Partidos por tres
por Carlos Fuentes

L as elecciones del pasado 5 de julio configuran un nuevo espacio político en México. La paradoja es que, siendo el nuevo, es el viejo, y esto por varias razones.

Bajo sus distintos títulos (PNR, PRM, PRI), el partido oficial —el Partido de la Revolución Mexicana— gobernó durante siete décadas. Trajo muchos bienes —educación, comunicaciones, reforma agraria, industrialización, política exterior— y también muchos males —cultura autoritaria, ausencia de democracia, corporativismo y, sobre todo, corrupción—.

Que ésta —la corrupción— no era monopolio del PRI lo demostró la oposición, de derecha y de izquierda, apenas accedió al poder. Los casos son notorios, la lección contundente: la corrupción es el vicio mejor repartido en México. No paso por alto los beneficios que la democracia (incipiente) le trajo al país. Sí me parece que la democracia también acabó con la sistemática fe en que el PRI era sinónimo de corrupción.

El triunfo del PRI el 5 de julio merece, por todo lo anterior, ser analizado con cierto grado de desconfianza. Porque, ¿cuál PRI ganó la elección? ¿El PRI socialdemócrata, el PRI corporativista, el PRI reaccionario, el PRI personalista, el PRI...? La enumeración podría seguir. A base de ser, según la frase británica, *"all things for all men"*, el PRI carece, al cabo, de una fisonomía clara. ¿Ha sido ésta la clave de su largo y anciano poder? ¿Puede semejante careta persistir en un país, al menos, tripartidista?

Porque hay un PRI modernizante abierto a las corrientes socialdemócratas que hoy caracterizan a los partidos español (Felipe González, José Luis Rodríguez Zapatero), al chileno (Ricardo Lagos, Michelle Bachelet) y aun a los rivales brasileños (Fernando Henrique Cardoso, Lula da Silva).

Pero también hay el PRI corporativista, empeñado en mantener monopolios y privilegios sectoriales, públicos. Así como un PRI empresarial paralelo, aferrado, a su vez, a prácticas ajenas a la diversificación y la competencia. Y hay, en fin, un PRI que quiere el poder por el poder, la continuidad de privilegios y el culto de las apariencias: el PRI como anuncio publicitario. Que hay más PRIs que estos, lo demuestran las diversas cabezas del Congreso y los gobiernos estatales. ¿Hidra o dragón, paloma o águila? El PRI —mitología, zoología y aviario— está de vuelta.

Hay quienes consideran que Ernesto Zedillo fue un Maquiavelo pérfido al darle el paso al primer gobierno del PAN. A la luz del poder, el partido de la derecha pasó de la beatitud de la oposición a la responsabilidad de la gobernanza. Confirmó con Fox que la ineptitud y la bribonería no eran de la propiedad exclusiva del PRI. Y con Calderón, que la restauración de la moral oficial no siempre coincide con la restauración de la eficiencia oficial. Quizás, con un gabinete mediocre, el presidente puede verse (y hasta sentirse) más fuerte. La fórmula no es válida. Dos de los más fuertes jefes de Estado, Lázaro Cárdenas y Miguel Alemán, se rodearon de colaboradores de gran capacidad y personalidad. ¿Se sentirá obligado, a la luz de los hechos, Calderón a renovar y reforzar su gabinete? Beatriz Paredes —el mejor PRI— se niega a un co-gobierno. Pero hay muchos mexicanos —políticos, profesionistas, académicos— que podrían conformar un mejor gabinete y una presidencia más moderada y más modulada.

El hecho es que Felipe Calderón, a los tres años de asumir la presidencia, no tiene más remedio —como Ernesto Zedillo en la fase final de su mandato— que abrirse a formas de compartir el poder con la oposición. No hay en ello menoscabo alguno: el poder se ejerce a partir de una realidad cambiante.

¿Podrá la izquierda entender el cambio? El mero 12.5% del voto el 5 de julio confirma el grave descenso de sus fortalezas. Dividida, pulverizada, presa de bizantinas discusiones internas, la izquierda mexicana confirma su anacronismo, sobre todo a la luz de la experiencia socialdemócrata que arriba he mencionado. Algunas figuras —Marcelo Ebrard, Amalia García, el propio Jesús Ortega— parecen entender esto. Pero aun a ellos les falta hacer una proposición propia, realista: la elección de 2006 quedó atrás, Calderón va de salida y la izquierda no puede ser la eterna Verónica de nuestro Valle de Lágrimas político.

Pero pensar en una próxima renovación de la izquierda es ilusorio: la fragmentación es grande, la unidad minúscula, la anacronía evidente. Y, sin embargo, el país requiere, ante el cuadro descrito, una izquierda responsable, moderna, propositiva, y no sólo rabiosa, demagógica o desmayada.

Digo "moderna" y pienso en la formación partidista de un centro-izquierda socialdemócrata y de un centro-derecha demócratacristiano. Ésta es la regla lógica y sería el partidismo para el siglo XXI. Deja que los extremos se manifiesten en los extremos, pero que las posiciones centrales las ocupen la seriedad política, sujeta a la ley y a la alternancia.

Las elecciones del 5 de julio demuestran lo lejos que México se encuentra todavía de esta regla de convivencia. El tripartidismo es confuso y estéril.

Partidos por tres, artículo de Carlos Fuentes publicado en *El País* el 26 de julio de 2009. Se publica con la autorización del autor.

Este texto refuerza con tanta exactitud el espíritu de mi libro, que no he tenido duda en usarlo como prólogo (N. de la A.).

Primer acto

"Tú di que sí, y luego averiguas…"
Doña Lola

Consulta familiar y con Sofía

Si no recuerdo mal, corría el mes de marzo de 2009. En esos días me encontraba muy ocupada organizando una presentación de la biografía de Agustín Lara en Tlacotalpan, Veracruz. De pronto sonó el teléfono. "Señora, le van a hablar del PRD". Era Alejandra Barrales, presidenta del PRD del Distrito Federal, quien me solicitaba una cita para el día siguiente muy temprano. "Consúltalo con tu familia. Piénsalo y nos vemos la próxima semana." No lo podía creer. ¿El Partido me pedía ser candidata plurinominal para el Congreso de la Unión? Al salir de las oficinas de Alejandra lo primero que hice fue llamar a Enrique, mi marido. No acababa de comentarle los detalles de la entrevista cuando de repente exclamó: "No, por favor, no hagas eso. Bueno, luego hablamos en la casa". Colgué con un cierto sentimiento de incertidumbre, pero sobre todo de culpa, porque eufórica como estaba, prácticamente le había dado el sí a Alejandra, siempre y cuando no dejara de escribir en el periódico, porque ése era, y es, mi *modus vivendi*. En seguida llamé a mi hijo mayor para comer con él y darle lo que para mí era una espléndida noticia. "No, no estoy muy convencido con la propuesta. Creo que no es lo tuyo. Piénsalo bien. La verdad es que no deja de ser muy interesante formar parte de la Cámara. ¿Estás segura de que es para candidata a diputada federal o local?"

Su renuencia y sus dudas de alguna manera hacían disminuir mi entusiasmo. Al salir del restaurante le llamé a mi hija, con quien no había podido hablar desde la mañana. "Ay, mamá, se me hace increíble. Ya te tocaba… ¡Qué experiencia! ¿Te imaginas en la Cámara todas las leyes que vas a poder cambiar…? ¿Y te vas a parar a protestar en la tribuna?" Su alegría me reanimó. Antes de irme a casa se me ocurrió pasar a la de Sofía, mi amiga de toda la vida, para contarle la posibilidad de que yo fuera candidata. Nunca lo hubiera hecho. Por otro lado, su reacción era previsible, no aceptaba mi simpatía hacia ciertos personajes de la izquierda. Sin duda esto era motivo de muchos de nuestros desencuentros. He aquí todo lo que me dijo, entre eufórica, pero sobre todo, irritada: "¿¿¿Quéeeeeee???? ¿¿¿En la Miguel Hidalgo y por el PRD??? ¡¡¡Estás loca!!! Nadie va a votar por ti. ¡Te están usando, seguro no tienen a quién poner! ¿¿¿Qué necesidad tienes??? Vas a afectar tu prestigio… ¿¿¿Ya hablaste con Enrique??? ¿¿¿Ya lo saben tus hijos??? ¿¿¿Ya hablaste con tu periódico??? Te vas a quedar sin chamba y te vas a hacer de más enemigos… Vas a ver los correos que te van a llegar. Yo que tú les decía que no puedes porque vas a empezar la continuación de *Las yeguas finas*. ¡Qué incongruente eres, Guadalupe! No cuentes conmigo, ¿eh?"

Lo peor de todo es que intuía que los reclamos de mi amiga no iban a ser nada más suyos, sino de todas las personas cercanas a mí. Pero si no contaba con ellos, con quién lo haría. ¿Qué tan prudente era aceptar? ¿Qué costos tendría que asumir? ¿Y qué tan preparada estaba para esa responsabilidad?

Llegando a mi casa le mandé un correo a mi segundo hijo para anunciarle la nueva. Con él siempre me comunico a través del *mail*; a veces contesta muy rápido y a veces pasan muchos días sin que reciba respuesta, pero cuando lo hace sus mensajes, aunque escuetos, siempre son inteligentes, humorísticos y oportunos.

"Nos tenemos que ver cuanto antes. Me urge consultarles a tu esposa y a ti algo muy importante. Veámonos en el Café O mañana sábado a las 10:00 a.m." Afortunadamente, en esta ocasión su respuesta fue rápida y concisa. "Ok", escribió en el mismo *e-mail*.

Esa noche no pude dormir pensando en todo lo que me había dicho Enrique a propósito de la posibilidad de mi candidatura plurinominal.

"¿Ya lo pensaste bien, Guadalupe? No es tan sencillo como tú crees. La responsabilidad es enorme y tú no eres política. Bueno, por lo menos no te vas a desgastar en una campaña, pero, ¿estás segura? Piénsalo bien, después no te vayas a arrepentir…"

Tantas advertencias, tanta falta de consenso, tanta disparidad de opiniones y tanta incertidumbre empezaron a agobiarme. Faltaba otra opinión, fundamental para mí: la del periódico *Reforma*, mi casa desde hace 15 años.

"*Mmmmmh….* Ya me lo imaginaba. Incluso lo comentamos entre nosotros… *Mmmmmh….* Por mí no hay ningún problema, pero tenemos que consultarlo con el Consejo. *Mmmmmmh….* Dame estos días y te regreso la llamada", me dijo el director de mi periódico entre solidario y enternecido por imaginarme luchando en una contienda que se anunciaba adversa para mí.

Dos días después de la llamada de Barrales, mandé mi acta de nacimiento al Partido junto con la copia fotostática de mi credencial de elector.

Lo que no sabía…

Dos meses después de finalizar la campaña, encontré entre los íconos del escritorio de mi computadora la silueta de la cabeza de un caballo, como un alfil del ajedrez. Me llamó la atención. Lo abrí, y cuál no sería mi sorpresa al encontrarme un estudio de opinión de la Delegación Miguel Hidalgo que no conocía y que se había levantado en octubre de 2008. Lo primero que me intrigó era saber quién lo había puesto en mi computadora, lo segundo, por qué nadie de mi equipo me lo comentó, y lo tercero, por qué el Partido no lo había comentado abiertamente conmigo.

Con una absoluta cara de curiosidad fui desplegando, poco a poco, las diapositivas. No lo podía creer. Era una encuesta de 400 entrevistas para valorar quién entre varios ciudadanos supuestamente sobresalientes tenía el mejor posicionamiento para ser candidato a la Delegación Miguel Hidalgo, lo cual demostraba que desde fines del año anterior mi nombre era una opción viable y atractiva para encabezar la delegación. *¡¡¡¡Oh, my God!!!!,* exclamé sorprendidísima por el hecho de que pude haber sido candidata para *de-le-ga-da*. De hecho, mis exclamaciones iban en aumento y eran cada vez más estridentes al ir descubriendo los resultados de cada diapositiva. La primera mostraba los datos generales de un estudio de opinión que se levantó en la penúltima semana de octubre de 2008, en el que se medía la percepción, entre otras muchas cosas, de los partidos. Lo que me llamó mucho la atención es que las tres fuerzas principales no presentaban entre sí diferencias abismales, excepto en una tendencia, la cual me pareció muy peculiar: la opinión muy mala respecto al Partido de la Revolución Democrática doblaba la obtenida por el Partido Acción Nacional; el primero obtenía 14 puntos y el segundo siete. Por su parte, y para mi sorpresa, el Partido Revolucionario Institucional obtuvo diez puntos de "muy mala opinión" incluso por debajo del Partido Verde Ecologista. ¿Qué significaba todo esto? Que mi partido no había trabajado para disminuir esa tendencia, la cual conocía desde el año anterior.

Debo decir que ya sabía que la demarcación Miguel Hidalgo significaba una victoria poco probable; no obstante, el rechazo al PRD fue mucho más intenso de lo que se esperaba. Por contradictorio que parezca, a pesar de la renuencia que existía hacia mi partido, no había momento en que no recibiera quejas, acompañadas de emociones que iban desde el resentimiento hasta el odio (odio esta palabra), respecto a las acciones de la administración pasada en esa delegación. Llegué a la conclusión de que los votantes de las zonas residenciales odiaban más al PRD que a mi contrincante más cercana.

Debo confesar que todavía hasta el último día de la campaña me resistí a creer qué tan negativa era la percepción de los votantes hacia el PRD. No fue sino hasta que vi reflejados en los mapas electorales los resultados de las elecciones federales de 2009 cuando me percaté de que este sentimiento no sólo persistía sino que había crecido en ¡¡¡35%!!!

Jorge Villanueva formuló un análisis que explica lo anterior con mucha precisión. Un par de meses después de la elección, el analista se apoyó en los resultados oficiales del IFE para elaborar los dictámenes y diagnósticos de la jornada electoral. He aquí las conclusiones a las que llega el asesor político del ahora diputado por el PRD, Víctor Romo:

Debería decir esto con mejor talante, pero no puedo: para uno que milita en el partido, una elección perdida siempre es una pérdida, y eso duele. Aunque hubiese sido en Campeche o en Tamaulipas, lugares tan lejanos, mayormente cuando fue en el DF, y sobre todo, en la Miguel Hidalgo, donde en la campaña de Romo trabajamos tanto los últimos meses. Para los que no lo saben, diré que ninguna elección se gana limpiamente, por ningún partido. Desde Guadalupe Victoria —que ni siquiera era ése su nombre, se lo cambió como las *vedettes*, aunque éste por razones políticas— hasta la fecha, en la política siempre hay un lado oscuro. Mucho más en una delegación como ésta, donde el PAN siempre ha sido quien tiene "la sartén por el mango", y es bien conocida la frase "*haiga* sido como *haiga* sido". (Tendremos que preguntarle a Felipe Calderón si esta burrada se escribe con o sin h.)

En honor a la verdad, sin intención de herir susceptibilidades, empezaré diciendo que el primer error fue el candidato: Guadalupe Loaeza es una persona agradable y una escritora muy divertida, pero de ninguna manera es política. (Aunque llegue a escribir de esto.)

Hasta donde yo sé, ningún artista, por muy mal actor que haya sido, como en el caso de Reagan, o un muy buen escritor, como Vargas Llosa, logra ser un buen político. No es lo mismo ver los toros desde la barrera, participar en pésimas películas de vaqueritos o criticar una sociedad decadente, que buscar el voto. Eso fue, desde mi punto de vista, el primer fallo.

Por otra parte, no considero correcto culpar a la escritora directamente: total, ella ganó una buena experiencia de donde quizá saque un par de libros, pero nada más. En todo caso la culpa fue de quien la impulsó, y sobre todo, de quien se atrevió a lanzarla en una delegación tan difícil para el PRD como lo es la Miguel Hidalgo; con un poco de piedad puedo decir que ella fue una víctima más de la lucha por el poder.

Para empezar, Guadalupe no participó en una elección interna anterior, lo que, en su caso, le hubiera dado por lo menos dos cosas: una, que se proyectara públicamente, y otra, que afinara la sensibilidad en cuanto al entorno político. Esa falta de madurez en su entorno fue una de las cuestiones que determinaron, desde el principio, la derrota.

Aunque Guadalupe tenga prestigio literario, me atrevo a asegurar que muy pocos, demasiado pocos, han leído sus libros en la Pensil, Anáhuac, Argentina o Tacubaya. En estas colonias, un personaje de renombre es un boxeador, un futbolista, una *vedette* o una actriz o actor de telenovelas, pero nunca un escritor, así sea Cervantes, García Márquez o Loaeza. Aquí la gente no lee ni siquiera periódicos, a no ser noticias de deportes o la nota roja, por tanto, Lupita es tan desconocida en esas colonias como Mendelssohn.

Si alguien pensó que la elección la ganaría Guadalupe Loaeza tan sólo por su fama, estaba equivocado. Algunos actores o escritores, y aun boxeadores, fueron diputados, pero esos eran otros tiempos: ahora la lucha es mucho más reñida, ya no existe, por lo menos aparentemente, una hegemonía del poder como en los buenos tiempos del PRI.

El escaso conocimiento que tenía Guadalupe de la problemática de las zonas populares, aunado a lo poco que la conocían allí pudo haber sido un factor determinante, si no fuera porque los números nos revelan que donde Lupita fue peor votada fue en las zonas burguesas de la Delegación, donde sí la conocían y donde tiene muchas amistades. En el distrito XIV, en general, el PRD es la tercera fuerza electoral, en ocasiones por debajo inclusive del Verde.

Pienso que mejor debería enfocarme desde otro ángulo, porque en honor a la verdad, Lupita no perdió en la zona popular, perdió en las Lomas de Chapultepec, donde, dato curioso, en el área del bosque, creo que como siempre, hasta las jirafas votaron. Es increíble que en una colonia como Lomas de Bezares, Guadalupe haya perdido por más de 600 votos. Con la experiencia que he tenido analizando las elecciones anteriores en la Miguel Hidalgo, puedo asegurar que en las urnas hay muchos embarazos no deseados, específicamente en la zona sur y la sur-poniente.

Deberé, entonces, enfocarme mejor en la estructura electoral, de la que ni siquiera puedo decir que fue mala, simplemente que no existió. La elección federal en el Distrito X no tuvo estructura electoral, o si la tuvo, fue la más deficiente que he visto. Me consta, porque estuve ahí: el 4 de julio por la noche todavía no se repartían los nombramientos a los representantes de casilla.

No me atrevería a culpar directamente a Alfonso Garfias, pero sí a responsabilizarlo. Hubo muchas otras manos negras metidas en ese asunto. Se buscó por muchos medios que Guadalupe no ganara. El principal obstáculo para el triunfo era la panista, protegida directa de las alturas. Desde el día que fue la encargada de pagar la fianza de Andrés Manuel López Obrador por el asunto del desafuero, supe que la iban a impulsar a grandes alturas, y así fue. Ahora es la encargada de hacerle la vida difícil a Marcelo Ebrard desde el Congreso. [Entonces "el Comandante", como todo el mundo le dice por respeto a sus conocimientos electorales, opinaba que la ex delegada se convertiría en Presidente de la Comisión del Distrito Federal, cuyo nombramiento "le permitirá ejercer una labor de escrutinio sobre parte de las finanzas de la capital, tarea lícita que puede pervertirse y transformarse en hostigamiento", según un analista del periódico *Reforma*.] Por ningún motivo se hubiese permitido, desde Los Pinos, que la ex delegada perdiera. La elección, para Guadalupe Loaeza, fue desde el principio un niño muerto. Espero que Lupita no se sienta mal, pero la realidad es que había demasiado en juego como para permitirle el triunfo electoral al PRD. Ni el PAN ni Felipe Calderón dejarían la Miguel Hidalgo en otras manos.

Pero, aceptando sin conceder, si hubiese tenido alguna posibilidad de ganar, la falta de trabajo territorial no se lo hubiera permitido. Hubo muy poco trabajo a nivel personal con los votantes y, lo que es peor, no se hicieron concertaciones adecuadas con los líderes, personajes muy susceptibles y volubles que, desgraciadamente, pueden mover el voto a su antojo.

Personajes nefastos, aunque necesarios, los líderes no se mueven a otro ritmo que el de su interés. Aunque enarbolen la bandera del

PRD o de cualquier partido, no significa que manden a votar por él. Mueven a la gente a su conveniencia y si sus ambiciones no fueron adecuadamente resguardadas, es muy posible que aunque portaran la bandera amarilla en sus camisetas, votarían por el PAN o por el PRI.

Otro factor digno de considerarse fue el pésimo apoyo que tuvo Guadalupe por parte del candidato a diputado local, Gerardo Zapata, que no hizo gran cosa ni siquiera por él mismo, mucho menos en apoyo a la señora Loaeza. Contrariamente, el excelente trabajo de Víctor Romo fue de gran apoyo para la votación. Podemos ver que en el Distrito IX Loaeza y Romo ganaron casi las mismas secciones.

Aunque lejano, Andrés Manuel López Obrador tuvo gran influencia en la votación. Tuvo gran influencia para quitarle votos al PRD y dárselos al PT. Mucha gente pensaba, y piensa, que Andrés Manuel ya no pertenece al PRD sino al PT, y con esa idea vota. Si Guadalupe hubiese ido en candidatura común, tal vez tampoco hubiera ganado, pero la derrota habría sido menos dolorosa.

Hay que tomar en cuenta el alza del PRI, que subió un 35% en promedio, mismo porcentaje que descendió el PRD. En mi análisis de los números, el PAN se mantuvo prácticamente igual que en 2003, mientras que el PRI subió en proporción directa a la caída del PRD.

También, Ana Guevara (candidata para delegada de la Miguel Hidalgo) fue un factor que incidió en los resultados para el PRD, un factor negativo, ya que en muchas colonias fue antipática para mucha gente y tuvo problemas para relacionarse adecuadamente con algunos líderes.

Finalmente, aunque en lo personal no lo creo, pudiésemos culpar a la supuesta epidemia de influenza. En esos meses estaba de moda culpar a la endemia de los fracasos económicos de Calderón, por qué no culparla del resultado en la urnas.

Respecto a lo anterior no hay nada más qué agregar. Sin embargo, habría que añadir al espléndido testimonio de Jorge Villanueva en relación con la campaña, la falta de dinero (de allí el abandono de muchos operadores vecinales y representantes de casillas), la falla estructural en el diseño, pero sobre todo, lo que sucedió en la Delegación Iztapalapa. Veamos cómo se publicó en las páginas editoriales de *Reforma*, el 1 de mayo, el enredo que provocó una decisión de último momento en el proceso electoral de la delegación más poblada del Distrito Federal (1,800,000 habitantes), más grande que los estados de Nayarit, Colima, Tlaxcala o Hidalgo.

Una complicada historia se inició por la decisión familiar de que Silvia Oliva gobernara Iztapalapa después de que ya lo hicieron su marido René Arce y su cuñado Víctor Hugo Círigo. El primero, senador por la República, es el líder de Nueva Izquierda en el Distrito Federal y ha convertido Iztapalapa en su bastión, grupal y personal. Por ello, dentro del PRD se incubó la oposición a que se prolongara la prevalencia de esa familia y varias corrientes confluyeron en apoyar a Clara Brugada, que ha sido procuradora social del gobierno de la ciudad y dos veces diputada. En la elección interna resuelta en marzo, Brugada superó a Oliva por más de 5 mil votos y así ganó la candidatura. Sin embargo, esta última objetó el resultado primero dentro del partido y después ante el Tribunal Electoral local. Ambas instancias confirmaron la victoria de Brugada, que quedó registrada ante la autoridad electoral, por lo cual su nombre fue impreso en la respectiva boleta.

Oliva acudió entonces a la sala regional del Tribunal Electoral del Poder Judicial de la Federación, que no se pronunció al respecto porque la Sala Superior atrajo el caso y lo resolvió a favor de Oliva, quien sería registrada como candidata del PRD aunque en la boleta figurara el nombre de Brugada. El fallo produjo una sublevación en el sector perredista que había hecho su candidata a Brugada, quien solicitó de Andrés Manuel López Obrador el apoyo para enfrentar políticamente una resolución que podía cuestionarse jurídicamente.

El 17 de junio de 2009 Andrés Manuel López Obrador llamó a militantes y simpatizantes del PRD en Iztapalapa a votar el próximo 5 de julio por Rafael Acosta, *Juanito*, aspirante del PT a jefe delegacional, para derrotar a Silvia Oliva, virtual candidata perredista, y así burlar la injusta resolución del TEPJF que, ya avanzada la campaña y con las boletas electorales impresas, excluyó de la elección a Clara Brugada. Sobre el templete se delineó la estrategia: una vez ganada la elección por el PT se presentaría la renuncia y se pediría al Jefe de Gobierno, Marcelo Ebrard, que enviara la propuesta a la Asamblea Legislativa de que se nombrara a Brugada.

El gran Juanito

He aquí un cuento que decidí escribirle a Tomás, mi nieto, quien no dejaba de preguntarme, en los días del conflicto de Iztapalapa, quién era "Juanito", ese señor con una banda en la cabeza al que constantemente veía en la tele y sobre el que escuchaba hablar a sus padres.

Había una vez un niño que se llamaba Rafael, pero curiosamente todos lo conocían con el nombre de Juanito. Nació en el seno de una familia muy pobre, por eso tuvo que trabajar desde pequeño. Abusadillo desde chiquillo, Juanito era muy ambicioso; a sus amiguitos les decía, medio tartamudeando, que de grande iba a ser un político muy importante de Iztapalapa y que ayudaría a los pobres. "Aaaaaa to-to-to-dos les leeees voy a dar aaaaaagua. Voy a trabajar, jar, jar para que tooooooodos los niños vayan a la escueeeeeela y no tengan que vender chicles en la caaaaaalle", les decía sentado en la banqueta con su cajita de gomas de mascar sobre las piernas y con una bandita tricolor en su cabeza. "Juanito seráaaaaa graaaaande", les repetía constantemente, pero nadie le creía.

Andando el tiempo la fama de Juanito creció cada vez más. Siempre ganaba el equipo de fútbol que él mismo comandaba. Gracias a su impulso se convirtió en un excelente boxeador. Era tan simpático y desenvuelto que un día le propusieron un papel para una película en donde salía bailando con un grupo de muchachas muy alegres. Aunque nunca fue bueno en la escuela, era tan abusado que se metía en todas las conversaciones de las personas mayores y opinaba con mucha autoridad sobre política, pero sin saber lo que decía. Lo que todos ignoraban era que Juanito apenas sabía leer y escribir. Pero esto no le importaba, él se lanzaba a cualquier empresa y la mayor parte de las veces se salía con la suya. ¡Ah, qué Juanito tan abusado! Juanito era peleonero; se peleaba con todo el mundo, hasta con la policía se llegó a dar de golpes, lo cual le costó perder varios dientes. Pero tampoco esto le importó; lo que le interesaba era ser popular, muy popular. "Juanito es graaaaaaande", le recordaba a todos. Cuando era adolescente le encantaban los helados, por eso un buen día le propuso a sus cuates de la pandilla abrir una heladería. "Miren, los hacemos con el aaaaaaagua de la llave y los vendemos como si fueeeeeeeran de crema, así nos ganamos una buena laaaaaaana." Así sucedió. Juanito puso su negocio y le fue muy bien; nada más que a la hora de repartir las ganancias se quedó con la mayor parte y a muchos de sus amigos no les pagó lo que les había prometido; esos amigos se convirtieron en enemigos. Pero esto tampoco le importó, él lo que quería era salirse con la suya.

A Juanito le encantaba ir a ver a la Virgen de Guadalupe para pedirle el milagro de hacerse famoso y rico: "Viiiiiiirgencita de Guadalupe, coooooncédeme mi petición y quíííííííítame lo tartamudo. Quiiiiiiiero hablar como un poooooooolítico, como un gran estadiiiiiiista. Quiero ayuuuuuuuudar a la gente y hacer siempre el biiiiiiiien. También quiiiiiero que hagas a un lado a mis enemigos." Tanto le rogó a la Virgen morena que ésta le hizo el milagro: le quitó lo tartamudo, pero no lo acelerado y mucho menos lo ambicioso.

Nada le gustaba más a Juanito que le tomaran fotos. Todo el día andaba con su camarita y suplicaba que lo fotografiaran. "Tómeme una foto, es que yo soy el gran Juanito. Yo voy a ser muy famoso, así es que el retrato que me tome tendrá mucho valor con mi firma." De esta forma, Juanito se fue haciendo todavía más popular. Un día se le ocurrió vender sus fotos para hacerse de más lanita. Luego, empezó a fotografiarse con famosos: con políticos, artistas, deportistas y hasta con los policías con los que un día se había peleado.

Con el tiempo, Juanito se fue haciendo tan popular como se lo había propuesto desde que era niño. Ya mayorcito, un día su jefe, al que tanto admiraba, le propuso la descabellada idea de lanzarlo como candidato al reino de Iztapalapa. Todo empezó porque la verdadera candidata fue impedida, injustamente, de poder participar en la contienda. Juanito la reemplazaría de mentiritas, apareciendo en la boleta su nombre de pila, Rafael, en lugar del nombre de su amiga, la verdadera candidata. Antes que nada, había prometido que si ganaba cedería su lugar a Clarita. Juanito juró frente a muchísima gente que sí lo haría. Y ganó con mucha ventaja, tanta que hasta pensó que había sido por él, cuando en realidad casi todos en el reino de Iztapalapa habían votado por Clarita, la candidata. Pero, una vez más, esta situación tan complicada a Juanito no le importó nada. Él tenía sus propios planes. Por eso desde el momento en que lo declararon supuesto ganador empezó a aparecer en la televisión, la radio, periódicos, revistas e Internet diciendo: "Juanito, el grande, ganó. El pueblo manda, votó por mí".

Pero la gente votó por Juanito gracias a Clarita. Lo malo fue que a Juanito se le olvidó y ya no quería cumplir su promesa. "¡Córtalas!", le dijo a su ex amiga. Para ese entonces, ya se sentía el muy muy, tanto que decía que podía llegar a ser emperador. Todo el mundo, incluyendo los turistas, querían retratarse con él; todos los medios del mundo lo querían entrevistar; su nombre sonaba en todo el planeta; vendían millones de bandas tricolores con el nombre de Juanito. La televisora más importante del país le ofreció 10 millones de pesos por los derechos de su vida para hacer un cómic que se llamaría *Juanito* al estilo de *Memín Pinguín*. La mayor parte de sus cuates le aconsejaban: "No, Juanito, no renuncies; aquí, en este reino, hay mucha lana, se pueden hacer muchos negocios, abrir muchas heladerías y hoteles. Ya tienes mucho poder, ¡aprovéchalo, mano! Que no te traten como pendejo. Manda a volar a tu jefe. Olvídate de esa Clarita que ni siquiera ganó. ¡Ganaste tú, votaron por ti, por Juanito! Dile a todo el mundo que te andan amenazando. Diles que el pueblo te eligió y que vas a respetar su voluntad."

Pero no olvides Tomás, que Juanito no había ganado, la que en realidad triunfó fue Clarita; él, solito, jamás hubiera ganado un solo voto.

Juanito no dormía por las noches, se soñaba contando fajos de billetes; se soñaba cada día más famoso; rodeado de mujeres; poderosísimo; apareciendo en el Canal 2 en horario estelar; y se soñaba alto, guapo, bien vestido y sofisticado. Pero, sin duda, el sueño que más disfrutaba era en el que aparecía con su coronita en la cabeza en lugar de la banda tricolor que tanta fama le había dado...

Pero a fin de cuentas Juanito entró en razón gracias al mago Marcelo, quien logró alejar las malas artes de los hechiceros del mal. El día de su toma de posesión y protesta llegó en metro, muy tempranito, a la Asamblea, en las calles de Donceles. Le dio tiempo de desayunar huevos con machaca, bolearse sus zapatos y comprarse un nuevo peine marca *Pirámide* para verse todavía más guapo con su nuevo traje Hugo Boss y su corbata roja Ermenegildo Zegna. Se instaló ante la tribuna, frente a todos los legisladores, para tomar su protesta. Muy serio, Juanito levantó el brazo izquierdo y dijo, mirando derechito a la mesa directiva de la Asamblea: "Protesto como el Gran Jefe del reinado de Iztapalapa. Prometo cumplir con las leyes del reino mayor y hacer cumplir a los chiquitos, a los medianos y a los grandotes, todas sus necesidades". Después de jurar, Juanito se arrancó la corbata y muy enojado gritó: "¡Muera el ama.... Nooooo, muera el rojo!" En realidad Juanito iba a decir: "Muera el amarillo", pero de inmediato corrigió por temor a hacer enojar a su jefe, con quien ya ni se hablaba. Enseguida pisoteó su corbata roja. Con la ayuda de sus guaruras, que se parecen a él, se metió en un cuartito donde ya lo estaba esperando el emisario del mago Marcelo, para que de inmediato firmara su licencia por 59 días, amenazando con que, si Clarita la regaba, él regresaría a tomar el reino y salvar al pueblo.

Ese mismo día Clarita tomó posesión como encargada del reino de Iztapalapa, y desde el balcón le mandaba muchos besos a Juanito, aunque en el fondo seguía muy enojada.

Y colorín, colorado, este cuento no ha acabado...

Después de escuchar el cuento del *Gran Juanito*, Tomás se quedó muy pensativo y me dijo: "¿Y cuál es la moraleja, mamá Lu?". Su pregunta me tomó por sorpresa. Tenía muchas respuestas y sin embargo no atinaba a darle ni una sola. "Lo más importante en la vida es cumplir con la palabra empeñada. Tu palabra es tu tesoro más valioso; cuando la entregas está dada y no es de personas bien nacidas olvidar su compromiso."

Primera filtración en la prensa

"DIPUTADA LOAEZA"
Periódico *Milenio*, sábado 28 de febrero, 2009

Lo leí en "El santo oficio", la ya mítica columna de mi buen amigo José Luis Martínez, en *Milenio Semanal*, y pensé que se trataba de una humorada del cartujo y también director del suplemento cultural *Laberinto*. Pero al parecer va muy en serio.

Bueno, después de todo no es de extrañar. En este país surrealistamente mágico, cómico y musical puede suceder cualquier cosa, como que la Asamblea de Representantes del Distrito Federal, dominada por perredistas dizque *progres*, termine con la vida nocturna capitalina y haga de la nuestra una ciudad cada vez más mojigata o que el Presidente de la República invoque a Diosito mismo para que el PRI no regrese a Palacio Nacional, y que la presidenta de ese partido afirme que la Virgen de Guadalupe ya no quiere al PAN en Los Pinos. En fin. Mas para volver al tema de esta columna, parece que el PRD piensa lanzar a la singular Guadalupe Loaeza como candidata a diputada federal en la ya inminente campaña electoral. Aparte de que no comprendo cómo es que Lupita va a aceptar ser patrocinada por *Los Chuchos*, cuando ella es una *pejista* confesa (¿no se enojará Andrés Manuel con ella?), menos entiendo todavía cómo es que a alguien se le ocurre que la autora de *Las niñas bien* y otras joyas de la literatura universal pueda ser diputada. O sea, ¿*jelouuu*? Digo, ya sé que todo mexicano o mexicana tiene derecho a candidatearse a cualquier puesto de elección popular y que por las cámaras legislativas de este país ha pasado toda clase de personajes estrambóticos, folclóricos y/o indeseables, pero… ¿la Loaeza? No es clasismo, mas como que no me checa ver en las curules de San Lázaro a una señora de Polanco o las Lomas y menos como representante del Partido de la Revolución Democrática. No la imagino en una de esas tomas de tribuna a las que tan proclives son los hijos del sol azteca o en plan de interpeladora o cual Valentina Batres, dándose empujones con alguna colega panista o…

Aunque esperen, ahora que lo pienso, creo que sí resultaría muy divertido.

¡A clases Loaeza!

Los días pasaban y nadie me llamaba del Partido; ya habían pasado varias semanas desde la primera vez que me habían hablado. Por mi parte empecé a prepararme anímicamente. Confieso que la perspectiva de estar en la Cámara me atraía cada vez más. Para entonces me tenía mucho más tranquila que mi marido y mis tres hijos habían optado por apoyarme en lo que yo creyera que era lo mejor para mí. Incluso, esos días empecé a ir al ITAM a tomar un curso titulado "Programa de Especialización en Mercadotecnia Política y Comunicación para Campañas Electorales" pagado por el PRD, iniciativa que encontré, además de estimulante, muy oportuna para ayudar a la profesionalización de políticos incipientes como yo. Desafortunadamente me incorporé a partir del Módulo II con un maestro espléndido, Yamil Gustavo Nares Feria, especialista en encuestas y en mercado electoral. Confieso que a veces me distraía, como sucedió en la clase de Ana Vázquez Colmenares del Módulo IV, que impartía "Comunicación Política y Manejo de Medios". He aquí uno de los correos que escribí a Enrique durante la clase:

Enrique,

Hoy la maestra, Ana Vázquez Colmenares, nieta del que fuera gobernador de Oaxaca, inteligente y simpática, ha dedicado toda, toda la clase a la imagen física. Aspecto importantísimo porque la primera impresión se lleva el 75% de la percepción, ya sea positiva o negativa. De allí que sea tan importante la sonrisa, el maquillaje, la postura y el lenguaje corporal. Para que el mercado de los electores te acepte, debes pensar en los colores que te favorecen y que no sean contrarios a tu ideología política.

Te escribo porque muy amablemente Jorge Puga, quien trabaja con Barrales, me prestó su computadora. Hoy hablé con Alejandra, cuya imagen siempre está impecable, y le dije que me seguía sintiendo en el limbo, que necesitaba más herramientas, más apoyo y más diagnósticos. Me escuchaba muy atenta. "No te preocupes", me dijo varias veces, para después comentarme que le urgían mi acta de nacimiento y la copia de mi credencial de elector.

A lo mejor hoy como con Roy Campos que es muy amigo de Eduardo Solórzano, pero no es seguro. La maestra está hablando de accesorios, de telas, maquillaje, calvicie prematura. Tengo entendido que ha asesorado a muchas candidatas, entre ellas a la ahora gobernadora de Yucatán. Con un modo muy bonito nos recomienda las camisas *Brooks Brother* porque dice que no se arrugan para nada. Recomienda pedir por Internet las *not iron*. Nos cuenta que en su luna de miel, su flamante marido siempre lucía muy planchado porque lavaba su camisa en la noche y a la mañana siguiente se veía como nueva. Dice la maestra que no hay que usar los colores del partido que representamos. Acaba de poner en la pantalla una foto de Obama, a quien ha mencionado repetidas veces. Dice que el ahora Presidente de Estados Unidos siempre estaba con corbata. ¿Ya ves mi amor?, y tú que las detestas. Te dejo, porque los compañeros me están mirando feo (creo que son del PAN...). Un beso.

Tu esposa, "la dispersa", GL.

No hay duda de que el curso del ITAM me ayudó a entender muchas estrategias que son fundamentales para ganar una campaña. ¿Acaso no están allí los apuntes en mi carpeta donde con toda claridad escribí respecto al contenido de un plan de campaña?: 1. Análisis, investigación y diagnóstico. 2. Posicionamiento y temas de campaña, (¡las propuestas!). 4. La estrategia y las tácticas para implementarlas. 5. La organización y programación de la agenda. 6. El presupuesto de la campaña y estrategia de financiamiento. 7. La operación política y electoral.

Tal vez hice gran parte de todo esto, pero de una forma muy ortodoxa y muy apremiante, ya que mi equipo se integró cuando ya había iniciado la campaña. Todos teníamos una excelente voluntad pero ninguno de nosotros tenía experiencia, salvo Mary Vázquez, responsable de "Discursos e Imagen y Comunicación".

Ahora, a la distancia, me pregunto: ¿por qué no puse en práctica las tres reglas de oro que caracterizaron la contienda electoral de Obama? Quizá la única que sí utilicé fue *El empleo de las nuevas tecnologías*. En efecto, me hice adicta al Twitter, al Facebook, a los *blogs,* a los videos en YouTube y a las redes de telefonía móvil, aparte de a mi propia página de Internet, la cual se actualizaba de dos a tres veces al día. Pero olvidé las otras dos que son asimismo claves para ser un candidato efectivo:

• Mantenerse sereno e imperturbable ante los golpes bajos.
• No perder *nunca de vista el mensaje.*

Leamos lo que dicen Barry Libert y Rick Faulk en su libro *El éxito de una campaña de Marketing* (Prentice Hall):

1. *Se mantuvo sereno.* Barack Obama se mostró imperturbable en los debates y no mostró la menor ira ante los golpes bajos. Además, cosa más difícil todavía, fue capaz de ignorar todas las distracciones y no perder de vista en ningún momento su mensaje a lo largo de una carrera maratoniana que duró casi dos años. Partiendo de una relativa inexperiencia, Obama se centró sin descanso en la necesidad del cambio para la nación.

2. *Empleó las tecnologías sociales.* Obama ganó las elecciones de 2008 por siete puntos porcentuales, en gran parte gracias a que recurrió a todas las tecnologías sociales de nuestro tiempo —*blogs*, foros, videos virales, SMS y redes de telefonía móvil— para mantener el contacto con sus electores. Creó una comunidad de base (My.BarackObama.com) para vender su campaña y reunir una marea de capital sin precedentes.

3. *Adoptó y encarnó el cambio.* Los empresarios deben hacer posible el cambio, no defender lo establecido. No por casualidad la apropiación del *cambio* por parte de Obama le dio ventaja frente a sus dos principales oponentes, Hillary Clinton y John McCain, ambos veteranos de Washington. Sin darse cuenta de que tiraban piedras contra

su propio tejado, basaron sus campañas sobre todo en su *experiencia* y en su preparación para ejercer el gobierno, mensaje que sintonizaba muy mal con el cansancio del país con Washington y el hambre generalizada de caras e ideas nuevas.

Mi estratega de cabecera

No es que quiera justificar mi derrota pero no puedo dejar de reconocer que tenía escasamente un mes para aprender un oficio al que nunca me había dedicado; entonces, era imposible, dada mi inexperiencia y la falta de tiempo para prepararme, dar los mismos frutos que había dado Obama en una contienda muy intensa.

No obstante, en mi caso no todo fue adverso. Afortunadamente hubo mucha gente que me aconsejó y que me apoyó; algunos con mucho compromiso y otros desinteresadamente. Entre ellos hubo uno en particular que fue muy importante para mí y que sin proponérselo se convirtió en mi estratega de cabecera: Federico.

Gracias a una intensa comunicación por *e-mail,* mi hijo hizo sentir su presencia durante toda la campaña, incluso desde antes de que empezara. Su inteligencia, sensibilidad y asertividad sobre la arena política sorprendían hasta a mis propios asesores. Muchos de ellos me pedían que les enviara copia de los correos. He aquí el primero del 16 de abril de 2009:

Ma,

Creo que hay un par de estrategias posibles que pueden funcionar. Dame unos días y te envío el plan de acción. Lo que es muy importante es que pienses por qué te estás lanzando: ¿Qué quieres cambiar? ¿Qué puedes cambiar con la plataforma del PRD? ¿Por qué piensas que eres la más indicada para hacerlo? Entiende esto como un ejercicio introspectivo, pero bien honesto. Cuando lo tengas envíamelo por favor. Creo que

vale la pena esperar antes de comprometerte con colaboradores, aliados, familiares, rivales, *fans*, etcétera, etcétera. Una vez
que determines la estrategia, puedes construir la plataforma
necesaria para ganar.

Un beso, Federico.

¡Híjole!, exclamé cuando terminé de leer su correo. Era la
primera vez que alguien me confrontaba respecto a mis verda-
deras motivaciones y ese *alguien* era nada menos que mi hijo.
De alguna manera se habían intercambiado los roles. Eran dos
generaciones con dos maneras de ver el mundo muy distintas.
Tenía que aprovechar esta oportunidad para hacer ese ejercicio
de introspección fundamental que me pedía Fede, para fortalecer
la decisión que ya había tomado. Respiré hondo y profundo y le
contesté:

Fede,

Me estoy lanzando porque te recuerdo que ésta es la cuarta vez que me invita el Partido y temo que ya no habrá una
quinta… La primera fue en 1994, como candidata plurinominal para diputada federal. Tres años después, en 1997, me volvieron a invitar pero como candidata a la Delegación Miguel
Hidalgo, apoyada por el ingeniero Cuauhtémoc Cárdenas elegido por votación directa como primer Jefe de Gobierno. Les
dije que no, que podía ayudarlos más desde mi trinchera: el
periodismo. No lo vas a creer, tres años después, en 2000, me
reuní en el enorme vestíbulo del hotel Presidente Chapultepec con Demetrio Sodi, entonces candidato a senador por el
PRD, y Javier Hidalgo. Ambos me pidieron que fuera candidata, otra vez, para diputada federal. Pienso que estoy mejor
preparada que antes. Respecto a tu pregunta, ¿qué pretendo
cambiar?, quiero acabar con el desencanto que tenemos los
ciudadanos respecto a la política. Ya nadie cree en nada ni en
nadie. ¿Te has fijado que tenemos la autoestima por los suelos?

Ignoro si soy la más indicada para hacerlo, pero sí me entusiasma la idea de participar en política como ciudadana preocupada por lo que pasa en su país. Aún no he leído la plataforma de mi partido, cuando lo haga te contestaré esa pregunta. En relación con mis colaboradores, todavía no los conozco pero me encantaría que tú fueras uno de ellos. Estás contratado. Tengo entendido que a partir de la próxima semana los seis candidatos del PRD a diferentes distritos vamos a contar con espléndidos asesores. Ya te platicaré. Mientras soy diputada me voy corriendo a hacer mi súper.

Te mando un beso, "Ciudadana de bien"
PD ¿Te gusta mi eslogan?"

De segundo lugar a la cola…

Finalmente me llamó Alejandra Barrales. Nos citamos en su oficina. Al entrar a su privado la sentí muy seria. "Estoy furiosa…", me dijo.

De inmediato temí una mala noticia. "Me apena mucho decirte, Guadalupe, que no logramos consenso para sostenerte en el segundo lugar de las listas plurinominales, como estabas hace unos días. Hay muchos intereses. En el último Consejo Nacional hubo una rebatiña impresionante. No se dieron las condiciones para acordar tu posición con los grupos y te pusieron hasta el decimotercer lugar. No hay garantía de que pases…" En ese momento sentí cómo mi ego se hacía trizas. Clarito lo vi en el suelo hecho pedazos. Sentí horrible. Y como si se me disparara un resorte interno, me escuché decirle (¿era yo la que hablaba, o la protagonista que hacía el papel de una candidata?): "Alejandra, no pienso soltar la toalla. Yo ya me preparé, anímicamente hablando, ya hablé con mi familia, con el periódico, con Sofía mi amiga. Todos están de acuerdo en que me lance, así es que olvidémonos de lo plurinominal; quiero participar en una candidatura uninominal; de hecho lo prefiero porque voy a tener mayor legitimidad y en el

Congreso mayor credibilidad y respeto. En el fondo estoy feliz de hacer campaña y ganarme el puesto gracias al voto ciudadano. Me encantan los retos… No, Alejandra, no voy a dar marcha atrás…" La presidenta del Partido me escuchaba azorada. Me miraba con sus ojos enormes intentando detectar el trasfondo de mis palabras. Pero la más sorprendida de las dos era yo. Nunca imaginé que hubiera podido protestar de esa forma tan contundente por una candidatura que todavía estaba en el aire. Había algo en mi fuero interno que me daba ese impulso y ese valor; me negaba a quitar el dedo del renglón. Por un momento me desconocí y hasta pena me dio ser tan impositiva. "¿Estás segura, Guadalupe? Bueno, pues déjame ver qué puedo hacer. Dame una semana y yo te hablo", me dijo Alejandra un poquito desconcertada.

Salí de la oficina de Barrales preguntándome si de verdad había sucedido lo que pasó. Hasta la fecha no me explico por qué reaccioné de esa forma tan impulsiva. Al llegar a la casa me sentía confundida. ¿Estaba sacada de onda? ¿Preocupada? ¿Por qué diablos había reaccionado de esa manera? ¿Qué quería probarme?, le pregunté a mi marido totalmente descompuesta. Él también me escuchaba sorprendido. "¿Por qué insistes? Le debiste haber dicho: 'Muchas gracias Alejandra. Quizá la próxima vez se den las condiciones.'" Me sentí peor. Sin embargo, le comenté lo sucedido a mi hijo mayor, quien difirió de Enrique: "Hiciste muy bien. Si estás convencida, adelante. Espera que te llamen…"

En sus marcas, listos… ¡fuera!

Eran cerca de las diez de la mañana cuando sonó el teléfono y una señorita muy amable me avisó que la dirigente del Partido me esperaba a la 1:30 de la tarde en su oficina en las calles de Jalapa. Estaba nerviosa. En mis circunstancias todo podía pasar, desde el anuncio formal de la candidatura hasta una llamada de atención por parte de los grupos perredistas.

"Te tengo una muy buena noticia, el que ganó como candidato en la elección interna, Armando Esponda, renunció consciente de que tú tendrías más posibilidades de triunfo en el Distrito X. Prepárate. Jara y Puga se comunicarán contigo para que ya te tomes la foto. Hay que rentar una casa de campaña y ver quién se va contigo como tu equipo." Entre más pendientes escuchaba por parte de Alejandra, más me paralizaba. ¿Quién me tomaría la foto para la propaganda? ¿En qué colonia de la Miguel Hidalgo rentaría la casa de campaña? ¿Quién sería mi suplente? ¿Con cuántas personas se compone un equipo? ¿Quién me va a dar el dinero para toda la operación? Preguntas y más preguntas comenzaron a taladrarme la cabeza.

Saliendo de las oficinas de Alejandra me dirigí a la librería Rosario Castellanos y compré un manual: *Marketing político e imagen de gobierno en funciones*, de Carlos Fernández Collado, Roberto Hernández Sampieri y Eliseo Ocampo Jaramillo. Al llegar a mi casa, mientras comía un delicioso puchero (entonces estaba a dieta, como de costumbre. Después la rompí. No resistía la comida de los 18 mercados que visité ni tampoco las tortillas recién hechas de las numerosas tortillerías que recorrí), me puse a leer:

La estructura del equipo del candidato se compone de un asesor político, un asesor jurídico, que son solamente consejeros del candidato. Debajo del candidato se designa un coordinador general que es el que está al mando de los demás coordinadores sin bloquear la comunicación de éstos con el candidato y los asesores. En el equipo está el coordinador de mercadotecnia (la persona que se ocupa de las relaciones públicas con los grupos, supervisa la aplicación del plan estratégico, la publicidad y la propaganda, la parte de investigación, la programación de la agenda, la inteligencia, la capacitación de toda la gente que trabaja en la campaña y los voceros, además de la mercadotecnia directa), enseguida viene el coordinador de comunicación (responsable de la elaboración de la agenda del candidato, preparación de discursos, con temas y puntos de acuerdo, aprovechamiento mediático en beneficio del candidato, elaboración de boletines de prensa, proporcionando el *bite* de información para la radio y televisión y los medios impresos). El coordinador de acción electoral (y dos asistentes) lleva las relaciones con el partido y coaliciones, eventos de campaña, se ocupa de la promoción interpersonal y grupal de la candidatura y el voto, avanzada de los equipos de campaña, capacitación electoral de los equipos de campaña, análisis de información por zonas o distritos, comités de redes ciudadanas, dirección de la fuerza de trabajo: bardas, carteles, pendones, mantas, etcétera, El coordinador de administración detecta fuentes de financiamiento para la campaña, obtiene los recursos para el financiamiento, elabora presupuestos, negocia con proveedores, realiza la contratación de servicios, administra los recursos, lleva el control de gestión y se encarga de la colecta de fondos, cuando lo permite la reglamentación vigente. El coordinador de seguridad se encarga del reclutamiento y selección de agentes, la supervisión de agentes, apoyo a las actividades de inteligencia, avanzada de seguridad, la protección física del candidato y su familia, la vigilancia de las instalaciones en la casa de campaña y el control y seguridad en los eventos públicos.

No sabía si seguir leyendo o cerrar el libro. Algo me decía que mi equipo iba a estar muy lejos del que se describía en el manual. ¿De dónde iba a sacar dinero para pagar tantos salarios? ¿Estarían las 25 personas del *staff* que se suponen deben integrar el equipo, más los tres choferes, más la brigada compuesta de 15 personas, dispuestos a trabajar gratis para una candidata tan inexperta? ¿Y mi celular, quién lo pagaría? ¿Y la gasolina? ¿Y las comidas de todos? Bajita la mano, y después de sumar y sumar, llegué a un total de 350 mil pesos mensuales para puros salarios. Ya no quería pensar. Comía las verduras del caldo de pollo con cara de puchero. ¿Cuánto tenía que pagar de renta de la casa de campaña, de luz, de teléfono, de papelería y de mobiliario de oficina, computadoras, impresoras… ¡*Oh, my God*! Ingenuamente había pensado que tendría mi oficina en el Partido y que no tendría gastos. ¡Qué absurda! Era evidente que no tenía ni la más remota idea de lo que representaban las necesidades de una campaña. Estaba yo en estas angustiosas cavilaciones, cuando de repente suena mi celular. Era Federico quien me avisaba que me había mandado un correo con una estrategia.

Hola ma,

Te mando un par de *tips* para que definas antes de arrancar.

Creo que es una apuesta muy interesante en tu carrera profesional pero no puedes perder de vista lo siguiente: dado el distrito y el partido que te apoya, las probabilidades de que no resultes elegida son considerables. Por otro lado, tu activo más valioso es tu prestigio e integridad. En una campaña que puede ser accidentada y muy mediática te expones a afectar en meses una imagen que te has tardado décadas en construir. No puedes permitir que el PRD o tu contrincante te lleven a situaciones que comprometan tus valores. Ninguna diputación lo vale… Espero que te sea útil.

Un beso, Federico.

ESTRATEGIA GL 2009

Preliminar

Abajo algunas cosas que creo son indispensables antes de arrancar con eslóganes, colaboradores, entrevistas, cenas, debates, etcétera. ¡Nadie te va a regalar la diputación y partes con mucha desventaja!

Necesitas información

Me parece que tienes que asignar una parte de tu presupuesto para hacer estudios. Creo que podrás invitar a otros candidatos para que compartan la información.

1. ¿Quiénes son los votantes? ¿Qué les preocupa? ¿Votan por partido o por personas? ¿De qué están cansados? Puedes segmentar tu población por NSE, sexo, geografía, religión, etcétera.

2. ¿Cómo están posicionados tú y el PRD? ¿Cómo están posicionados la ex delegada y el PAN? ¿Con qué segmento de la población te va mejor? ¿Y peor?

Necesitas una estrategia

Cualquier hijo de vecino o candidato del partido Verde puede pensar en un eslogan y gastar el dinero de los contribuyentes en espectaculares y *t-shirts*. La idea es que te comprometas con una estrategia.

3. Volverla un plebiscito del manejo como delegada de la panista. Descalificarla como opción.

4. Volverla una alternativa entre política de división, corrupción y clientelismo de todos los partidos *vs.* optimismo y participación ciudadana (tipo Obama).

5. Apostarle a tu imagen, a tu intuición y esperar que la panista se hunda sola. Tomar uno o dos temas importantes (inseguridad, derechos de la mujer, pobreza) y volverte la campeona de esos temas.

Una vez que escojas una estrategia puedes adoptar un eslogan y una imagen, no antes.

Necesitas formar un grupo a tu alrededor para apoyar tu estrategia

6. Me parece que tu equipo de trabajo debe ser plural, joven, apartidista. Es fundamental que te rodees de gente que te diga la neta y que tenga convicciones. Además, debe ser representativo de tu electorado y capaz de organizar a sus amigos, vecinos, etcétera.

7. Tus confidentes son los que te pueden hablar de su experiencia y dar un punto de vista externo y objetivo. No sólo amigos. Creo que gente como Malú Lajous, Fernando Lerdo de Tejada, Humberto Musacchio, Rafael Yturbe, Marc Lebreton (marketing), Monsiváis, etcétera.

8. Tus aliados visibles son súper importantes. En cualquier escenario creo que debes mantener una distancia importante con AMLO, que polariza demasiado a la mayoría del distrito. No sé si Guevara fue la mejor opción...

Necesitas estar lista frente a posibles ataques de la panista

Tú cercanía con AMLO.

Caricatura de GL en "Niña bien" sin formación académica ni experiencia política.

Ataques bajos: meterse en tu vida personal, sobre todo la privada.

Abril 20 de 2009
Querido Federico,

Muchas gracias por el Preliminar, me pareció muy bien hecho y atinado. Por otro lado, desde la semana pasada estoy siguiendo un curso interesantísimo para candidatos del PRD en el ITAM. Los maestros son de muy buen nivel. Ya te pasaré las notas. Las clases que más me han gustado son las del maestro Yamil Nares, un experto en encuestas (ya te mandaré los apuntes de su clase "¿Para qué sirven los *focus groups* en la estrategia de campaña?"), de hecho muy amablemente me ofreció hacerme una a muy buen precio. (Haz de saber que las encuestas son carísimas.) Respecto a pensarlo bien antes de lanzarme, ya lo hice. ¡Estoy decidida! Es cierto que la campaña será muy dura y que tengo muchas limitaciones, pero también cuento con buenas ventajas: no tengo negativos, estoy posicionada en más de la mitad de la Miguel Hidalgo; estoy segura de que voy a tener mucha empatía con los ciudadanos porque mis intereses no son políticos. La vida es un riesgo constante y en esta aventura habrá muchos riesgos, pero también mucho aprendizaje y una oportunidad de que el PRD gane una diputación federal por primera vez en el Distrito X. Ana Gabriela está arriba en las encuestas en las colonias populares, las cuales representan el 70% de la votación. Esto es muy bueno para mí ya que jalaría votos a mi favor. Respecto a las zonas residenciales, allí está el problema. En efecto, no simpatizan en lo absoluto con el PRD, pero quiero pensar que existe mayor aceptación para Ebrard. No se me oculta, de ningún modo, el esfuerzo y los riesgos personales que significan esta campaña, pero mi intuición me dice que vale la pena intentarlo. Si pierdo, me quedo con una experiencia vital maravillosa. Y si gano, tendré una legitimidad y una credibilidad fantásticas para hacer un buen papel en el Congreso. Te agradezco mucho tu interés, no esperaba menos de ti, un joven inteligente, emprendedor y exitoso. Estoy muy orgullosa de ti.

Te mando muchísimos besos. Tu mamá.

La foto

La primera cosa que hice una vez que todo se había concretado respecto a la candidatura, fue tomarme la foto. Sabía por mis clases de "Mercadotecnia política" del ITAM que: "La primera impresión que se tiene de un político representa el 85% de la percepción, el restante 15% es cuando se le escucha hablar. La presencia, el vestuario, los colores, el corte y el arreglo del pelo, son factores estéticos que deben ser supervisados con mucho rigor. Se deben agregar elementos a la postura y actitud del candidato o candidata que lo acerquen a la ciudadanía, como el mirar de frente, no desviar la mirada porque esto denota que ocultas algo; no cruzar los brazos o las manos, porque eso significa rechazo; sólo mostrar una oreja porque así proyectas que escuchas con atención; sonreír con gentileza sin parecer muy bonachona o bromista; usar colores y fondos que vayan de acuerdo al lugar donde se va a gobernar o que contrarresten la percepción que se tiene del partido. Si es imagen negativa, los fondos y los vestuarios deben ser claros o pasteles; si es positiva, pueden usarse fondos con texturas grises o algo más oscuras".

¡Cuántas recomendaciones tenía que tener presente justo en el momento en que la cámara hiciera *click*. ¡Vaya reto! Confieso que me encanta fotografiarme pero, ¿para fotos que seguramente se colocarían en miles de esquinas, pendones, carteles, folletos, volantes y espectaculares? Se trataba, ciertamente, de un objetivo muy distinto al que yo estaba acostumbrada a proyectar. Nada más imaginarme a mis nietos exclamando desde el asiento de su coche: "Ay, allí está mamá Lu", o bien a mis detractores de las zonas residenciales decir cosas como: "¿Cómo que ahora es candidata por el PRD? Ni de chiste voy a votar por ella…", me daba pavor exhibirme de esa forma tan pública. Sin embargo, no había de otra, había adquirido un compromiso y ahora tenía que llevarlo hasta sus últimas consecuencias.

Afortunadamente, Jorge Puga y Jara, mis primeros dos asesores, me hicieron una cita con una de las mejores fotógrafas de México, Blanca Charolet, conocida como la "cazadora de luz", con una experiencia profesional de casi 40 años. De hecho, conocía su trabajo por un espléndido libro dedicado a Andrés Henestrosa en el que el escritor oaxaqueño aparece en sus últimos días de su vida en varios momentos de su intimidad. Lo vemos leyendo, caminando por las calles de Oaxaca, dormido, en familia, reflexionando y acompañado por unas preciosas mujeres juchitecas. "Ojalá, alguna vez alguien recuerde que vivió un hombre que se llamó Andrés Henestrosa, que lloró, que vivió, que le sobrevivió… a esa esperanza me mantengo. Gracias", dijo el escritor de 99 años cuando Blanca y él presentaron el libro *Henestrosa, el otro Andrés: el mío.* (Miguel Ángel Porrúa.)

Con una petaquita llena de blusas blancas y collares de perlas, nos presentamos Jorge, Jara y yo, en las calles de Nápoles 45. El estudio de la fotógrafa formaba parte de una de las tres pequeñas casas estilo *town house* de una construcción de principios del siglo pasado. Cuando toqué el timbre, de pronto imaginé que estaba por entrar a la casa del actor mexicano Joaquín Pardavé cuando era joven. Todavía no acababa de atravesar el quicio de la puerta de madera pintada de blanco, cuando sentí una enorme oleada de nostalgia. "Ya he estado aquí", me dije intrigada al encontrarme frente a la típica escalera de madera que suelen tener las viejas casonas de las colonias Juárez y Roma. Pero la nostalgia se intensificó aún más cuando apareció Blanca: su semejanza con mi hermana mayor me impactó. La misma corpulencia, los mismos ojos verdes, la misma expresión de bondad, la misma calidez y la misma sonrisa que mi hermana mayor. A partir de ese momento se estableció entre las dos un contacto muy familiar, elemento fundamental para obtener, por parte del fotógrafo, el éxito de la sesión.

Ya maquillada, con pestañas postizas, peinada, chapeada y ataviada con una blusa blanca de corte camisero (era importante para los vecinos de las colonias residenciales que sus ojos no se toparan con un ápice del color amarillo que identifica a mi partido y que vieran que la candidata era como ellos, es decir, gente decente. Opté, sin embargo, por no llevar mi medalla de la Virgen de Guadalupe de troquel antiguo, porque esto sí ya hubiera sido demasiado), me instalé frente a la cámara, una caja de luz y un rebotador plateado que parece una luna, la cual se puede manipular de un lado al otro para suavizar las sombras.

"¡Sonríe, para que muchos voten por ti!", me decía Blanca con entusiasmo, mientras apretaba el disparador de su súper cámara profesional Nikon D2X. ¿En qué pensaba en esos momentos? En todo, menos en que era la flamante candidata para diputada federal. Reconozco que mi actitud era ambivalente: por un lado estaba feliz con mi nuevo rol de mujer política pero, por el otro, sentía una resistencia tremenda, pensaba en lo que me habría dicho mi amiga Sofía si me hubiera visto en esos momentos: "¿Te das cuenta de que estás posando para una foto de propaganda política para el PRD? No, no te estás fotografiando para un álbum familiar, ni para la portada de ninguno de tus libros, te estás tomando fotos para una campaña que de antemano está perdida. Se van a burlar de ti. ¿Qué no entiendes? Y todo por tu vanidad, por tu necedad, pero sobre todo, por tu ego. Todavía estás a tiempo para decirles que no. ¿Por qué no te desdices? Diles que tienes esa enfermedad rara que se llama influenza. Guadalupe, sé razonable. Tómate las fotos y regálaselas a tus nietos. Que te quede claro, no tienes nada qué hacer en la política. Agradécele a la fotógrafa. Dile que la vas a recomendar con todo el mundo y vete a tu casa con tu marido, que es allí donde debes estar. Por cierto, ya llegó. ¿Ya viste qué horas son? Faltan diez minutos para las nueve…".

Mientras escuchaba la voz de Sofía, posaba y posaba jugando al papel de la candidata. "Mira aquí, en el centro". "Voltea un poco a la derecha". "Sube la barba". "Inclina un poco la cabeza a la derecha", me decía Blanca con voz amable.

Antes de terminar la sesión, Charolet me mostró en la pantalla de su computadora algunas fotografías. "¡Están increíbles! ¿Cómo le hiciste? Me captaste muy bien. Eres una excelente fotógrafa", exclamé encantada. "Vas a ver, Guadalupe, después del maquillaje digital quedarás como artista de cine", me dijo con una sonrisa traviesa.

Me fui a mi casa muy satisfecha, creyendo que Jorge, Jara y la candidata habíamos hecho un trabajo muy profesional. "Me da gusto por el Partido, que a veces no le da importancia a todo lo que tiene que ver con la estética", les decía a mis compañeros mientras nos encaminábamos hacia la Plaza Río de Janeiro bajo la luna.

En ese momento aún no sabíamos que la sesión de fotos que había sido tan exitosa no iba a funcionar para la campaña.

Una semana después...

"Esas fotos no van a funcionar. No tienen nada que ver con la estrategia que se tiene que seguir para una fotografía política. Hay reglas, Guadalupe. No solamente debes considerar la parte estética, hay otras cosas que hay que tomar en cuenta. Por ejemplo, debes ser percibida como una persona que está lista para representar a grupos sociales. Debes reflejar decisión y seguridad, verte como una persona que sabe hacia dónde va a conducir los destinos de las personas que confían en ti. En estas fotos que me estás mostrando te ves demasiado ingenua. Parece que te está hablando la virgen. Se van a pitorrear de ti. Ni modo, tendremos que repetir la sesión. Y tiene que ser esta tarde porque ya no hay tiempo. Créeme, no hay una que se salve. No hay de otra. Me lo vas a agradecer." La que hablaba era Mary Vázquez, mi recién contratada asesora política, especialista en imagen. No podía rebatirla. Sabía que Mary tenía más de 26 años de experiencia en los medios de comunicación, que había trabajado en 30 campañas políticas para gobernadores, presidentes municipales, diputados y senadores, y que por añadidura había trabajado en la más exitosa consultora de *marketing* político del país, por lo tanto, no había nada que rebatir. Sin embargo, el solo hecho de pensar en otra sesión de fotos, en el tiempo que había que volver a invertir, pero sobre todo, en otro monólogo imaginario de Sofía, me abrumaba sobremanera. No obstante, por fortuna, cedí a la sugerencia "imperativa" de Mary.

Esa misma tarde le llamamos a Blanca para programar una nueva cita.

Lo importante de esta sesión fue la asesoría de Mary; mientras me tomaban las fotos se podría decir que ella suplió la implacable voz de Sofía. La suya era, naturalmente, mucho más solidaria, pero sobre todo, más oportuna en ese momento.

En cuanto Blanca empezó a tomarme las fotos, Mary se convirtió en mi más ferviente aliada, así como en la voz del electorado más renuente del mundo.

"Guadalupe, recuerda que aquí tus chicharrones truenan. Me tienes que proyectar esa seguridad. Debo percibirte como la candidata más fuerte, segura y preparada para enfrentar a tu contrincante. Piensa que eres tú la que más beneficia a todos los ciudadanos de Miguel Hidalgo. Tú sí puedes. Y eres una triunfadora. Impulsa tu cuerpo un poco hacia adelante para expresar que no vamos a dar un paso atrás. Mírame de frente. No soy tu amiga y no tengo por qué creerte. Tú a mí no me estás haciendo ningún favor. Eres tú la que tienes que convencerme. ¿Qué debo ver en ti para elegirte? ¿Cómo te distingo en esa foto de los demás? ¿Cómo sé que tú eres la indicada? No le creo a ningún político, ¿por qué tendría que creer en ti?"

La que no daba crédito ante tanta intensidad por parte de Mary era Blanca. Estaba entre divertida e intrigada. "¿No crees que eres un poco dura?" A lo que la imagóloga contestó: "No tienes idea de todo lo que va a escuchar y las críticas que le van a hacer cuando esté en campaña. Esto no es nada. Yo me quedo cortita. No se la va a acabar. No podemos darnos el lujo de cometer errores."

Finalmente cuánta razón tuvo Mary. Su estrategia resultó atinadísima. La fotografía para la campaña fue muy emblemática, especialmente mediática y eficaz. Cada vez que me veía en los coches, en las ventanas, en los mercados, en las bardas, en los espectaculares y en miles de folletos y volantes, le agradecía mentalmente a Mary.

Estoy segura de que gracias a esa foto obtuve muchos votos.

Primera encuesta

El 9 de mayo de 2009, el maestro Yamil Nares puso en mis manos los resultados de la primera encuesta de la campaña. No lo podía creer, era como haber recibido una radiografía de un organismo desconocido para mí, el cual sabía que estaba enfermo y que había que atender de urgencia. Nuestro encuentro fue en la casa de campaña que se encontraba en Polanco y que muy solidariamente me había facilitado Mauricio Soto, quien había competido en las elecciones internas del PRD para candidato a la Delegación Miguel Hidalgo contra Ana Guevara. Soto también es líder del movimiento "Yo amo a Miguel Hidalgo" y presidente de la Fundación Sembrando el Futuro. Cuando Alejandra Barrales me confirmó que Mauricio Soto sería mi suplente, lo celebré porque me dije que haríamos buena mancuerna; él, un joven empresario con experiencia política, y yo, la ciudadana que se iniciaba en la arena política. La generosidad de Mauricio llegó a tal extremo que, a pesar de que él era suplente, propuso que los suplentes no hicieran trabajo de coordinación porque los intereses chocaban. No hay que olvidar que un jefe de campaña es una pieza clave en ésta. En teoría es el que debe hacer el trabajo político y supervisar que los demás coordinadores alcancen los objetivos establecidos en el plan de campaña. Además, es el responsable de organizar, planificar, contratar a las brigadas, llevar la agenda, diseñar una estrategia con los demás coordinadores y lograr cumplimiento del plan estratégico con rigor y puntualidad. Desafortunadamente Mauricio Soto se desarrolló más como un coordinador de administración, elaborando presupuestos, pero sin buscar alternativas para disminuir la presión que teníamos desde los primeros días del arranque de la campaña. Como candidato suplente brilló por su ausencia.

"Me sorprendió un poco el resultado ya que no le es muy favorable", me dijo el maestro, al tomar asiento en nuestra sala de juntas, que era como la de un consorcio dedicado a hacer dinero y no política. (Todo aquel que llegaba a mi casa de campaña se quedaba muy apantallado y me decía: "¡Ay, pero cuántos recursos y personal tienes!", cuando en realidad no teníamos ni impresora para mi campaña. Todo era pura pantalla.) Gracias a un proyector modernísimo sobre una pantalla especial para ver magnificadas las imágenes (estos artefactos también apantallaban mucho), poco a poco fui viendo, gráfica por gráfica, lo que el maestro explicaba: "La Miguel Hidalgo es una delegación en donde históricamente ha ganado el PAN. Está compuesta por dos distritos: el 9, que comprende las colonias populares, y el 14, que en su mayoría está constituido por las colonias de mayor nivel adquisitivo de toda la Ciudad de México. Esto hace que se polarice mucho el tipo de mercado electoral y que se tenga que trabajar con una estrategia de campaña que considere a estos dos grupos. En esta gráfica se puede apreciar cómo la mayoría de la gente entrevistada en esta encuesta se identifica más con el PAN, 26%, sobre 18% con el PRD. El PRI tiene 14%, el PT 2% y el Verde 1%. La siguiente lámina nos muestra que 44% piensa que va a ganar el PAN en Miguel Hidalgo, mientras que 23% que lo hará el PRD, 39% piensa que Acción Nacional representa mejor sus intereses personales y los de su familia. En este rubro el PRD está bajo. Cuando se les preguntó a los encuestados si han oído hablar de Loaeza, 70% dijo que sí contra 84% que dice conocer a la ex delegada. La campaña va a estar muy competida, es una delegación muy panista."

Al oír lo anterior, no pude evitar pensar que Yamil también era totalmente panista. ¿Por qué los resultados de su encuesta estaban tan inclinados hacia el PAN? Mmmmh, me parecía muy sospechosa su actitud. "¿Me podría decir qué método utilizó, maestro?", le pregunté con un tono de voz de señora de las Lomas, creyéndome ya una candidata muy experta. Me miró con sus ojos bondadosos y me dijo: "Es una encuesta en vivienda, cara a cara, que se realizó en tres días. La muestra que seleccionamos fue de 400 entrevistas en 40 secciones electorales, aplicando en cada una de esas secciones diez entrevistas. La selección se hizo de manera aleatoria estratificada. En cada manzana se eligen cinco viviendas, en cada vivienda seleccionada de todos los que viven allí se escoge a uno para responder la encuesta". Por más que el maestro me explicaba, mi fuero interno seguía enturbiado con un sentimiento de desconfianza: "Mmmmh, para mí que también le está haciendo una encuesta a mi contrincante..." Con seguridad el maestro intuyó mi estado de ánimo porque al despedirse me dijo: "Bueno, en estricto rigor todavía no empieza su campaña y su contrincante ha gobernado aquí." Cuando me despedí de Yamil no le di un beso, nada más murmuré: "Adiós, señor". Ahora me arrepiento, porque desgraciadamente tenía razón. ¡Qué excelente encuesta, qué visión la suya y qué buen pronóstico!

Comentarios a la encuesta de mi estratega

Date: Mon, 18 May 2009 16:27:42 –0500
Subject: Re: FW: RV: Encuesta Miguel Hidalgo

EL PAN

Es impresionante que a pesar del entorno tan malo (inseguridad, crisis), el PAN siga tan sólido en muchas dimensiones de la encuesta. Parece que después de casi una década en el poder el PRI sigue cargando con la responsabilidad de muchos de nuestros problemas.

EL PRI

Parece que a la Miguel Hidalgo no ha llegado la ola de reconciliación con el tricolor. Tiene el mismo rechazo que el PRD cuando a nivel nacional está dominando la contienda. Me parece que las clases populares están muy amarradas al PRD y la clase media/alta está más informada y es más difícil de reconquistar.

EL PRD

Débil como a nivel nacional, Ebrard no sale mal. Al final los votantes más informados hacen la diferencia con AMLO (¡radioactivo!) y sus secuaces. Lo peor del PRD para ti y Guevara es que la gente no cree que puedan ganar inclusive con resultados bastante competitivos. Eso es clave y puede cambiar la dinámica de la elección. Cuando los demócratas se dieron cuenta de que Obama podía ganarle a Clinton, se creó una ola imparable.

Mis humildes sugerencias:

VUÉLVANSE TÚ Y GUEVARA UNA ALTERNATIVA VIABLE

Para Guevara va a ser más fácil por lo que reportan las encuestas pero necesitan que en la prensa, en los círculos políticos, en las discusiones de café, en el puesto de tacos, se comience a rumorear que van a ganar. Reporten resultados de encuestas, suelten rumores de que el PAN está apanicado y nervioso en la MH.

CON TODO POR LOS INDECISOS

Son tus nuevos mejores amigos. En ese sentido necesitas pedir al Instituto que te dé las estadísticas: sexo, edad, NSE, nivel educativo, opinión sobre la ex delegada, en dónde viven (deben estar en colonias clase media/alta, pero chécalo). Cuando ves lo poco que están dispuestos a cambiar los que ya escogieron (¡sobre todo el PRI!) es evidente que el 25% que no sabe por quién votar es tu única esperanza para ganar. Acuérdate de que a las elecciones en EU las define un porcentaje diminuto de la población: los *swing voters*.

Ataca para que no te ataquen

Si hoy fueran las elecciones perderías por diez puntos. Tienes que arrebatarle la elección a tu contrincante y para eso tienes que atacar, y sobre todo lograr que los demás ataquen con todo. Insisto en que debes cultivar movimientos espontáneos de colonos contra la panista y buscar asociarla con lo peor de su partido.

Me parece atinado que el PRD la demande por usar recursos públicos. Hay que buscarle más trapos sucios. La idea es que dedique toda la campaña a defenderse y que no pueda hacer propuestas. Usa al candidato del PRI para que la ataque a ella y no a ti. Lo mejor que te puede pasar es bajar la riña PRI/PAN a tu distrito. ¡Que se hagan pedazos!

Estoy impresionado por Ana Gabriela Guevara, realmente; ¡dile que corra, corra para que no la alcancen!

Un beso. Saludos.

La influenza

Para principios de mayo ya habían empezado las campañas de los candidatos para diputados federales y nadie había arrancado: la influenza A H1N1 empezaba a hacer estragos. El 3 de mayo, el doctor Enrique Goldbard escribió en su columna "Ojo Clínico" del periódico *Reforma* sus apreciaciones sobre esta pandemia.

Mientras escribimos este texto, los casos —probables— de influenza A H1N1 se van acumulando; lo mismo sucede con las muertes atribuidas a esta enfermedad. Se desconoce a ciencia cierta dónde se inició la epidemia; no se sabe si el contagio inicial fue de animal a humano (zoonosis) o de humano a humano.

¿Cuándo se inició? No se sabe con exactitud. La vacuna que aparentemente era útil para la influenza estacional, en este caso ya no lo es porque el virus en cuestión no estaba contemplado.

¿Funcionarán los antivirales con igual efectividad que lo han hecho en otros tipos de influenza? ¿Por qué aquí la mortalidad es considerablemente mayor que en otros países? ¿Estamos en México preparados para controlar la epidemia? ¿Lo está el mundo en una situación de pandemia? ¿Por qué ha ocurrido en esta época del año? ¿Por qué en personas fuera del rango habitual de edad?

Interrogantes semejantes a éstas no son exclusivas de la epidemia que enfrentamos en este momento, han sido planteadas, algunas de ellas antes aun del advenimiento formal de la investigación científica, frente a fenómenos que atentan contra la salud y la vida de miles o millones de personas. Las respuestas son a veces difíciles de hallar, y cuando se logran hay que manejar su difusión con la suficiente inteligencia para que al mismo tiempo que se dice la verdad ésta no provoque pánico.

Una epidemia cuyo agente causal es un microorganismo relativamente conocido pero que ha mutado es, para fines prácticos, un desafío inédito. La virulencia, capacidad infectante y resistencia al tratamiento son características por conocer. Las vacunas se tendrán que rediseñar, el diagnóstico preciso deberá efectuarse con tecnología que no se encuentra a nuestra disposición de forma inmediata y las medidas generales habrán de implementarse muchas veces a pesar de objeciones, sospechas e ignorancia.

Con la alerta de pandemia elevada al nivel 5 por la Organización Mundial de la Salud (OMS), algo que por primera vez sucede en la historia de este sistema protocolizado de intervenciones, como consecuencia de haberse determinado que el contagio de humano a humano es un hecho en más de un país de la misma región, no sólo se prevé la diseminación del virus en varias regiones del planeta (pandemia nivel 6), también se disemina la incertidumbre y cierto grado de impotencia. ¿Qué otra cosa puede emprenderse, en el plazo tan corto que impone la batalla contra el virus, que acciones de información y control de la población?

Aunque con los matices de la modernidad, las medidas de prevención no difieren mucho de las que se llevaban a cabo antes aun de la era de la vacunación masiva, con el agravante, además, de las interconexiones de la aldea global que hacen prácticamente imposible establecer cuarentenas estrictas.

Es evidente que los avances en el ámbito de la inmunología y de la genética/genómica nos llevarán a crear una vacuna probablemente en pocos meses, no obstante, serán las precauciones de orden general las que determinarán el derrotero de esta pandemia. Por ello habrá que preguntarse: ¿tendrá México la capacidad de hacer frente a la primera pandemia del siglo 21, a pesar de su notoria dependencia tecnológica?

Los enemigos a vencer no son nada menos que formidables, uno es el organismo vivo más simple que existe, poseedor por tanto de una capacidad infinita de transformación; los otros son la ignorancia, la irresponsabilidad y la desconfianza.

A propósito, los irresponsables mensajes en la Red no aportan más que confusión, recuerden el VIH.

Diálogo entre un epidemiólogo y una candidata

—¡Olvídate de la campaña. Te vas a contagiar. ¿Para qué diablos te metiste en eso? Nada más te estás exponiendo.

—Ay, no seas exagerado. Ando todo el día con mi cubreboca y constantemente me lavo las manos con gel antibacterial. Además, el IFE señaló que los candidatos nos abstuviéramos de realizar cualquier acto de campaña electoral.

—Pero vas a reuniones con gente.

—En primer lugar no son aglomeraciones y son a puerta cerrada.

—¿Qué no te das cuenta de la gravedad de la pandemia? ¿Para qué te metiste en eso? Estuve de acuerdo en que fueras una candidata plurinominal, pero jamás me consultaste si estaba de acuerdo en que te fueras a hacer campaña.

—Pues es mucho más loable una campaña uninominal que una pluri. Yo quiero ser elegida legítimamente por la gente y que nadie me cuestione.

—¿De qué hablas? A mí no me eches tu rollo político. Estamos en una emergencia sanitaria de mucha gravedad, ¿no te das cuenta?

—Pues, fíjate que es un momento muuuuuy oportuno para hablar de las necesidades de salud que tiene la Delegación Miguel Hidalgo. Sobre todo las mujeres.

—¿De qué hablas? ¿Para qué te metiste en eso? No entiendo.

—Claro, no entiendes porque no te interesa mi proyecto. Ni siquiera me has preguntado cuáles son mis propuestas. Fíjate que una de ellas es precisamente: "¡Ahora sí vamos por una Delegación más sana!"

—Sinceramente en este momento no me interesa escuchar tus propuestas. Están a punto de ordenar el cierre de todas las escuelas de la ciudad. Todas, incluyendo las universidades. Hoy, 4 de mayo, llevamos 26 muertos, pero hay quienes dicen que llegan hasta 48. No están seguros. Nadie sabe nada. Hay mucha confusión. No es el mejor momento para contagiarse.

—¿Qué me estás tratando de decir, que en el fondo estás muy enojado porque soy candidata?

—Okey. Ya. Ya. Mejor ya no discutamos. Pero, sinceramente, no entiendo para qué te metiste en ese rollo.

—Cuando gane vas a entender por qué me metí en este "rollo", como le llamas a mi campaña. Estoy muy, muy cansada. Tuve mi primera asamblea vecinal en la Pensil. Pero para qué te cuento si ni te importa… ¡Buenas noches!

La primera asamblea en la Pensil

Recuerdo que cuando Alejandra, Mary y yo llegamos a la dirección que nos habían dado para asistir a la primera asamblea, ya era tardísimo. Para variar nos habíamos perdido en una colonia que desconocíamos totalmente, la Pensil. Cuando por fin encontramos la calle, no dábamos con el número, estaban todos desordenados. Mauricio Soto ya nos estaba esperando en el interior del departamento de una vecindad muy vieja. Al entrar a lo que hacía las veces de sala y comedor, se encontraba un grupo como de 40 personas, todas ellas con sus cubrebocas. Parecía una escena sacada de una película futurista, de esas que siempre tratan de temas apocalípticos. Al fondo de la vivienda había una mesa rectangular cubierta con un fieltro verde, donde una señora muy activa dispuso que debería sentarme. "Usted es la candidata, ¿verdad?" "Creo que sí", le contesté aterrada a través de mi cubreboca. Me senté junto a cuatro varones que nunca había visto en mi vida, salvo Mauricio, cuya imagen empresarial resultaba totalmente fuera de lugar. Y qué decir de la mía. Ninguno de los dos encajábamos en ese escenario tan ajeno a nuestra vida cotidiana. Mary y Alejandra se habían colocado hasta el fondo de la pieza, en medio de otras personas que se mantenían de pie. La primera tomaba notas, mientras la segunda tomaba fotos con su celular.

No habían pasado ni diez minutos desde nuestra llegada cuando la voz de Sofía se hizo presente: "¡Qué demonios estás haciendo aquí! ¿Qué no te das cuenta de la distancia abismal que existe entre esa gente y tú? ¿Qué les vas a decir, que tú sí entiendes sus problemas y que sí sabes de sus necesidades, cuando en realidad no tienes ni la menor idea de cómo ayudarlos. Perdón, pero te ves patética. Seguramente muchos de ellos están pensando: '¿quién diablos es esa güerita, esa señora de las Lomas?' Ojalá que no te hagan hablar."

Lo malo es que sí pidieron que hablara. Lo bueno es que primero hablaron otros. Lo que allí escuché me aterró. "La primera llamada fue en 68. Hubo cientos de muertos pero ni un culpable. Luego vino la segunda llamada con la caída del sistema en las elecciones de 1988. Cárdenas ganó pero nos mandaron a nuestras casas. No hicimos nada. El 6 de julio de 2006 nos volvieron a engañar. Ahora, la tercera llamada será en 2012. Ya no vamos a aguantar otro fraude porque ahora estamos más politizados, más informados y mejor organizados. Del otro lado, donde viven los ricos, les da mucho susto Andrés Manuel, pero no saben que él es uno de los miles que ya somos. Él nos ha abierto los ojos y no le tiene miedo a nada. Nosotros ya tampoco. Ya no tenemos nada qué perder. Por eso les digo que la tercera llamada, si no respetan nuestro voto, va a ser en 2012. Si no es que antes", dijo con sorna el líder del grupo convocante que se encontraba a mi lado, con una gorra oscura y una barba estilo Che Guevara. Era el único de todos los asambleístas que no llevaba cubreboca. Por su parte, los asistentes lo escuchaban con toda atención. Era evidente su liderazgo.

Las palabras que pronuncié esa noche fueron muy escuetas; me limité a decirles que estaba en la mejor disposición de escucharlos para ponerme a trabajar y ayudarlos. Cuando terminaron de hablar los demás que se encontraban en la mesa, tomó la palabra una señora de trenzas, enfundada en un delantal, el cual se veía muy deslavado, y se dirigió hacia mí. "Tengo un puesto de quesadillas, pero ahora por culpa de la influenza no estoy vendiendo. A mí no me importa, pero las dos muchachas que me ayudan viven al día y no sé qué hacer, porque se van a morir de hambre. ¿No le puede decir a Ebrard que nos ayude y nos deje vender a los ambulantes?" No sabía qué decirle, cómo ayudarla. No sabía qué esperaba de mí. Me sentí muy frustrada. Lo único que le dije fue que lo de la influenza era una cosa muy seria y que no iba a haber excepciones para nadie. "Señora, yo necesito una beca. Ya hice el trámite, pero no he tenido respuesta. Tengo muy buenas calificaciones. ¿Qué puedo hacer?", me preguntó un joven estudiante de la Vocacional. Le di mi correo y le pedí que me enviara su trámite y sus calificaciones para poder ayudarlo. No entiendo por qué nunca lo hizo. Incluso, Mary lo llamó por teléfono y le contestó que estaba redactando la carta solicitándome la ayuda porque eran varios estudiantes.

Salí de la asamblea más que conmovida, preocupada. Era evidente el descontento, pero sobre todo, el abandono en que se encontraban estos ciudadanos. Fue allí donde comprendí por primera vez que muchas de las colonias populares del Distrito X sentían que vivían en el traspatio de la Miguel Hidalgo. Fue allí donde comprendí que hacía mucho tiempo que no les llegaban los programas sociales porque las administraciones panistas pasadas de la Delegación los entregaban a discreción. Pero lo que más me había impresionado era la conciencia política que han adquirido con tantas crisis y tantas promesas no cumplidas. No en balde una de las señoras asambleístas fue lo primero que me reclamó:

"Prometen, pero jamás cumplen. Vienen a pedir el voto y luego no regresan". Una cosa sí me quedó clara esa noche: que las comunidades de las colonias populares ya no estaban dispuestas a quedarse de brazos cruzados y que ya no querían conjugar el verbo aguantar.

Lo que no sabía hasta ese momento era que la Pensil, además de contar con un alto grado de marginación, es una de las colonias más antiguas de la ciudad. El cronista Alberto Barranco Chavarría, autor del libro *Ciudad con nostalgia*, describe este viejo barrio de la Delegación Miguel Hidalgo con la frase de un anciano que tiene muchos años de vivir en ese mismo lugar: "De aquí han salido, eso sí, los mejores rateros…"

Durante mis recorridos por las colonias populares pasé muchas veces por Lago Chiem (muy cerca de la calzada México-Tacuba) en donde me llamaba la atención un enorme muro de piedra y un portal precioso construido en cantera. En la parte superior de los dos portones coloniales hay un escudo de armas de la familia de Manuel Marco de Ibarra. En el interior, en una extensión de 3 mil metros cuadrados se encuentra el único jardín barroco, construido en 1766, que queda en pie en todo el país. Esta hacienda se llama Pensil mexicano. El casco formaba parte de una construcción en donde habían casas de recreo y fincas a lo largo de lo que era la calzada de Tlacopan, donde pasaba el río San Joaquín.

A pesar de que en 1932 la hacienda fue declarada monumento nacional, la construcción está totalmente abandonada. Tengo entendido que es utilizada para fiestas y también como bodega. Uno de los vecinos me platicó que tiene unos espléndidos jardines estilo europeo del siglo XVIII, cuya característica era la exuberancia de sus flores y especies de plantas, de donde procede el nombre "pensil", cuyo significado en español antiguo significa "jardín exquisito".

¡Cuántas veces no prometí en mis discursos ayudar al comité de Ciudadanos de Miguel Hidalgo, el cual se ha dado a la tarea de rescatar y restaurar esta maravillosa hacienda, con el objetivo de que el gobierno la expropie con fines de utilidad pública y con esta medida rescatar el jardín y establecer allí el Centro Cultural El Pensil Mexicano!

Sería una pena que la nueva administración panista de la Delegación Miguel Hidalgo dejara pasar esta magnífica oportunidad. Porque ellos, los panistas, siguen en deuda con los colonos de la Pensil respecto a este proyecto cultural.

Hay muchas "Pensiles", como coloquialmente las conocen. Pero las más importantes son dos, una que se encuentra en el norte y la otra en el sur. La mayor parte de su población pertenece a la clase popular. Estas "Pensiles" conforman una de las zonas con mayores problemas de seguridad, donde habitan personas relacionadas con actividades delictivas que van desde las más comunes hasta las de mayor violencia.

Ahora que ya sé dónde se ubica, veo allí una extraordinaria oportunidad para que los jóvenes enfoquen su energía en rescatar este maravilloso jardín, el único barroco que existe en todo México.

Llamada de atención de mi estratega

Date: Fri, 1 May 2009 09:32:57-0500
Subject: Re: Twitter

Nada me daría más gusto que hicieras un poco de caso. Te escribo para que por favor modifiques tu eslogan. Te voy a dar mis argumentos y ojalá los puedas considerar.

1. Eres candidata al poder legislativo. Tu estrategia y tu eslogan deben transmitir que entiendes perfectamente el alcance y las obligaciones de un diputado. La parte principal de tu eslogan es más apropiado para el candidato a delegado. En ese sentido tu responsabilidad es más limitada en cuanto a cambiar la vida de la gente de la MH y más amplia porque tus propuestas y votos pueden tocar a todos los mexicanos.

2. Es muy largo y poco memorable. En ese sentido tu eslogan son más los tres puntos que quieres defender: la política ha

dejado de trabajar para los ciudadanos, yo soy una ciudadana honesta que los quiere representar y siempre les voy a decir la verdad. Acuérdate de "Primero los pobres", de "*La force tranquile*"... son eslóganes cortos, memorables y que transmiten claramente las prioridades o las características de un candidato. El imaginario de cada votante se apropia del eslogan y piensa en salud pública, en educación, en justicia social o en acción responsable, confianza, etcétera.

3. El eslogan te reduce. Fácilmente tu contrincante podrá argumentar que México no sólo necesita ciudadanos de bien sino ciudadano con convicciones, con capacidad y experiencia para actuar. Los problemas de México son tan graves que no basta con decir la verdad, es necesario dar una visión de futuro que cambie nuestro destino.

Tu eslogan me parece poco eficaz, poco memorable y confuso. Me parece que debe pasar las siguientes pruebas: ¿Es memorable? ¿Transmite una promesa clara, única y valorada por la mayoría del electorado y consistente con el puesto? ¿Soy yo un candidato creíble para cumplir la promesa?

Éste es mi grano de arena a tu campaña, espero que lo leas con la mente abierta. Alonso es alguien que aportaría mucho a la definición de tu comunicación. Dime si quieres que le mande un *mail* o mándale tus opciones para que veas que no estoy tan perdido. Pregunta al PRD quién les trabajó el eslogan "Así sí gana la gente", por mucho el mejor de esta temporada política. Piensa que tu reputación está en juego y no creo que la debas poner en manos de *amateurs* sin imaginación.

En relación con el Internet y el Twitter, es sólo un *tip* para que hagas una campaña moderna. Déjame enfocarme a darte *tips* de estrategia de comunicación, si éstos son solicitados y valorados, claro.

Un beso, Federico.

Mayo 1
Fede,

Te recuerdo que no hay tiempo, no hay dinero. Tengo que salir con mi campaña el domingo. Estoy, todavía, muy atrasada en muchos otros aspectos: preparación, información de la Delegación, etcétera. Por lo pronto saldré con la página, *blogs*, YouTube, entrevistas por radio, tele y prensa. Lo más importante en una campaña son los recorridos por tierra en las colonias populares. Empiezo la próxima semana. No hay tiempo y mi presupuesto es raquítico. Además, no te olvides de que la campaña dura muy poco y el PRD está desprestigiadísimo. Si no salgo pegando, ni siquiera me veré. Todo esto ya lo vi con especialistas y comunicadores.

Te mando muchos besos. Tu mamá.

Arranque de campaña por Internet

Los últimos días de abril, justo antes del arranque de campaña, me habló Sofía por teléfono y me dijo: "Ya lo pensé bien. Te voy a ayudar. ¿Por qué no hacemos el arranque de tu campaña aquí en mi casa de Alpes y te pago la mitad del coctel servido por Mayita? Invitaríamos como a 250 o 300 personas. Por el vino y los meseros no te preocupes, yo me ocupo. Invitamos a toda la prensa, incluyendo al "Club" de *Reforma*. Si quieres invito a Enrique Castillo Pesado, a la gente de *Caras*, al representante del *Hola* en México, y a esta chica monísima de la revista *Quién*. Dile a Claudita, tu secretaria, que por favor me mande tu lista para cotejarla con las mías. Ay, oye, ¿no te importa que no invitemos a ningún perredista? Además de que no conozco a ninguno, ya sabes cómo son los de las Lomas, por más que les he explicado que tú eres una candidata independiente, no soportan la idea de que seas del PRD. Contigo no tienen bronca, hasta les caes bien, pero alucinan lo que hace tu partido. Muchos me han dicho que sí van a votar por ti, y no por *you know who.* Por esa bruja mentirosa que todos detestamos. No la podemos ver ni en pintura. Te lo juro que si un día me la encuentro por la calle, la cojo a cachetadas. La detesto tanto, que nada más por eso te quiero hacer tu coctel, porque quiero que tú ganes. Aunque, aquí entre nos, no te hagas muchas ilusiones, ¿eh? Prefiero hablarte con la verdad que ser una hipócrita, como muchas que se dicen tus amigas y te critican horrible. Por cierto, el otro día me dijeron que lo único que sabes hacer es hablar mal de tu contrincante y que no tienes propuestas. También me dijeron que tu partido te está usando porque saben que ni de chiste tienes posibilidades de ganar, pero que necesitan tu nombre para que los de las Lomas votemos por ti. Oye, ¿ya fuiste al mercado de Prado Norte? ¿Por qué no vas a repartir tu propaganda con Ken, para que todas sus clientas voten por ti? ¿Verdad que tú no vas para delegada? Es que me dijeron que tú ibas para la Miguel Hidalgo y yo les dije que no, que tú ibas como diputada general, perdón, federal. La gente es tan ignorante, pero sobre todo, tan chismosa. ¿Qué crees que me dijeron el otro día?, que la maestra te estaba pagando la campaña. Y yo les dije: Imposible, porque Elba Esther es panista. Además, ella jamás ha tenido ese tipo de tratos. No sabe cómo manejarlos. Bueno, entonces, ¿quieres que le hable a Claudita para que me mande tu lista de invitados? Te mando un beso. Ciao".

Tres días después, cuando volví hablar con Sofía ya no me mencionó ni una sola palabra del coctel. Era evidente que la propuesta la había consultado con la "almohada"… Así como Sofía me había prometido una barbaridad de cosas para apoyarme en la campaña, lo mismo había sucedido con muchos y muchas dizque amigas que me querían ayudar.

Finalmente llegó el 3 de mayo, día del arranque de la campaña. Cuando llegué a mi oficina, Ale me avisó que tenía que subir a la terraza porque ya estaba todo listo. Jorge, Mary, Vianey, Esmeralda, Carlita, se habían encargado de preparar todo para que Joaquín Fernández se instalara con su equipo de grabación y dar así el banderazo de salida por Internet, ya que el IFE había estipulado que los candidatos no tendrían actos masivos, debido a la contingencia de salud que en ese momento vivía México.

Vestida con un saco amarillo, muy nerviosa, me dirigí a un público invisible y dije:

Hola amigos, soy Guadalupe Loaeza, mujer mexicana que desde hace más de 27 años escribe, dando voz a miles de ciudadanos que, como yo, intentan que su país sea más justo. He tenido como ciudadana una postura crítica que construye el diálogo entre mundos que parecen irreconciliables y que, desde luego, no lo son. El día de hoy, domingo 3 de mayo de 2009 estoy lista para iniciar mi campaña como candidata a diputada federal por el distrito 10, o sea, la Delegación Miguel Hidalgo, pero con natural solidaridad me sumo a la sensible situación por la que atravesamos y a las medidas que indican las autoridades electorales y del gobierno de la ciudad y pospongo el arranque de mi campaña para un momento más oportuno frente al difícil escenario que enfrentamos a nivel salud. Ya tendré oportunidad de platicarles mis propuestas para salvar a Miguel Hidalgo de gobernantes arrogantes e irresponsables que han puesto en riesgo a la ciudadanía y no la han escuchado. Estoy con ustedes y comparto la enorme esperanza de reanudar la vida en comunidad y reactivar el dinamismo social y económico que caracteriza a nuestra querida ciudad. Estoy segura de que muy pronto disfrutaremos plenamente del Distrito Federal y demostraremos al mundo una vez más la altura y la fuerza ciudadana que tiene el pueblo mexicano. Les recuerdo que ahora sí para la Miguel Hidalgo más seguridad y mejor calidad de vida, ahora sí, trabajemos en la Miguel Hidalgo por la equidad, y ahora sí vamos por la delegación más sana de México.

Lo anterior lo dije muy atropelladamente, por momentos incluso leía el mensaje desde mi computadora, lo que hacía todavía más evidente que desconocía el texto. Además de no haber ensayado previamente, el equipo no pensó en rentar un *teleprompter*. Según Mary, fue porque hasta ese momento no habíamos recibido ni un solo peso del presupuesto acordado por parte del Partido.

Esa noche subieron el mensaje por YouTube y esa misma noche recibí el siguiente correo de un cibernauta:

Estimada señora Loaeza,

Qué gusto que sea usted candidata. Sin duda contará con mi voto. Vi el video en YouTube. Algunas humildes recomendaciones para su campaña:

1. No lea de la computadora, en todo caso imprima tarjetas, pero trate de no leer.

2. Mucha gente se preguntará por qué del PRD; creo que más que hablar de eso debería hacer un *statement* de por qué es usted de izquierda.

3. Sería interesante hacer planteamientos puntuales.

4. La campaña en Internet va a ser fundamental, espero que cuente con una estrategia de mensajes que conecten uno con el otro.

5. En estos momentos de alerta sanitaria, crisis, etcétera, la necesidad de la gente va orientada a escuchar señales de gobernantes capaces. Creo humildemente que en lugar del mensaje actual debería anunciar su postulación, pero más que sumarse a las medidas posponiendo, hay que proponer cuestiones puntuales para la alerta sanitaria. Hoy la audiencia no tiene oídos para otra cosa, hay que decir que los demás temas se discutirán una vez superada la alerta sanitaria.

Espero haber contribuido con algo.

Saludos, Omar Schoijet.

Twitt, twitt…¡¡¡ Vivan los twitters!!!

Al otro día, el 4 de mayo, mi estratega me envió un correo súper urgente que decía:

Te mando este artículo para que te animes... es un medio poderosísimo y perfecto para tu campaña.

TWITTER: EL NUEVO FENÓMENO POR INTERNET

A diferencia de las grandes redes como Facebook o MySpace, Twitter consiste en la publicación de mensajes de texto que indican el estatus de cada uno de los usuarios.

Para poder recibir los mensajes en forma automática es necesario registrarse, lo cual, por supuesto, no tiene costo. Así, el usuario registrado puede escribir sus mensajes en forma instantánea y le llegarán a los demás usuarios que hayan decidido "seguir" al creador.

Dentro de Twitter hay seguidos y seguidores. Los primeros son los menos, ya que en términos absolutos, la gran mayoría de usuarios, hasta la fecha, sigue a otros. Unos cuantos son los que más popularidad tienen y, por lo tanto, más seguidores.

El sistema es fácil de usar, ya que sólo se pueden escribir mensajes de hasta 140 caracteres. Eso es todo.

¿QUÉ SE NECESITA PARA *TWITTEAR*?

Lo primero es registrarse en el sitio. Se asigna un nombre corto que será la identidad dentro del servicio. A partir de ahí, el usuario podrá escribir su estatus o realmente cualquier texto que se le ocurra. Podrá hacer referencia a otros sitios o páginas en la Red metiendo enlaces URL al mensaje.

También se puede, por supuesto, agregar a otras personas para seguirlas, de tal forma que cada vez que actualicen su contenido, éste llegará automáticamente a la página de Twitter del usuario.

El sistema se encuentra por el momento disponible en inglés y japonés. Se puede *twittear* o escribir y leer mensajes desde cualquier computadora conectada a Internet, así como también desde muchos teléfonos celulares.

Ésta es la característica que ha hecho tan popular al servicio, ya que no es necesaria una PC para leer o escribir mensajes.

Con el tiempo, los usuarios van adquiriendo "seguidores" si es que escriben asuntos interesantes o que llamen la atención.

¿QUIÉN USA TWITTER?

Es aquí donde el sistema ha venido ganando popularidad en los últimos meses. Desde el actual presidente estadunidense (desde su campaña) hasta artistas como Britney Spears usan Twitter y ganan muchos seguidores todos los días. Por supuesto, no todos son grandes personalidades ni artistas famosos.

Hay millones de usuarios que escriben lo que hacen, pero también se comienza a dar el giro empresarial o comercial al sistema. En México, por ejemplo, algunas empresas ya comienzan a enviar mensajes a través de Twitter buscando dar servicio y también lograr más posicionamiento de marca.

Un sencillo ejemplo es la *Revista del consumidor*, de la Profeco. Tiene un Twitter y de vez en cuando actualizan la información con referencias de contenidos y otros datos. Para enterarse de los nuevos mensajes basta "seguirlos" y aparecerán directamente en la página de Twitter cuando el usuario ingrese al sistema.

¿SIRVE DE ALGO?

Mucho se ha especulado a últimas fechas sobre la utilidad práctica de Twitter.

Todavía es demasiado temprano para poder contestar contundentemente; sin embargo, el número de seguidores y el crecimiento de éstos habla de que será un servicio que llegó para quedarse.

Todavía está por resolverse ese "pequeño" problema que tienen muchas empresas de Internet: ¿cómo hacer dinero? Hasta el momento Twitter es gratuito para todos, así es que seguro estarán pensando en cómo obtener ingresos a partir de algún tipo de mensaje publicitario, o tal vez, diferenciar el tipo de usuario.

Todavía falta un largo camino por recorrer. Mientras tanto, la utilidad que puede representar Twitter para su empresa dependerá, por supuesto, del giro y tamaño de la misma.

Una idea: cualquier restaurante puede obtener su Twitter y publicar todos los días las especialidades del día. Si consigue un buen número de seguidores, igual y llegarán más clientes.

El secreto está en encontrar a la gente que se interese en esa información.

Qué razón tuvo Federico al estimularme para que me metiera en mi ya imprescindible Twitter. Trece días después de haber enviado el primero en mi vida, el 26 de mayo, se publicó el siguiente comentario en la página de Internet de la XEW:

Guadalupe Loaeza y su contrincante más cercana, ambas para diputadas federales por el Distrito X en Miguel Hidalgo, y Ana Guevara, candidata a jefa delegacional por esa demarcación, también se miden en Internet, especialmente en Twitter, donde día a día y con menos de 140 palabras cuentan a sus seguidores cómo es el desarrollo de su campaña.

"Hoy sembré, simbólicamente, la primer jacaranda en el camellón de Horacio. La bauticé 'ciudadana'. Toda mi campaña será como sembrar jacarandas."

"Nunca dejaré de correr, sólo cambia la pista en la que lo hago."

"Termina un día más de campaña. ¡Seguimos avanzando! Muchas gracias a los vecinos y vecinas que nos han recibido tan lindo en sus hogares."

Lo anterior no se trata de mi querido diario, son las frases que Guadalupe Loaeza, Ana Guevara y la panista escriben en Twitter, la plataforma *online* de moda que usan para estar en contacto con sus simpatizantes y ganar sus votos el próximo 5 de julio.

La escritora Guadalupe Loaeza, candidata a diputada federal por el distrito 10 de la Miguel Hidalgo, es la más *twactiva*, y sabe que algunos de sus comentarios parecen frívolos, pero asegura que su intención es compartir el día a día con sus seguidores.

Su compañera de partido y vecina, Ana Gabriela Guevara, y quien busca ser la próxima delegada en esa demarcación, apenas está familiarizándose con esta tecnología y no tiene miedo de decir que apenas se da tiempo para éste, así como para crear otro vínculo en Internet.

Y la panista, contrincante de Loaeza, utiliza Twitter para narrar sus actividades de campaña con algunas palabras, las suficientes para describir que es una mujer muy ocupada.

Esta nueva forma de estar en contacto les permite a las candidatas contarles a sus seguidores, en menos de 140 palabras y en tiempo real, los eventos que realizan y los compromisos de campaña, e incluso, los sacrificios que viven, como Loaeza.

Y si las elecciones se basaran en este medio, la escritora sería la ganadora ya que cuenta con casi 2 mil seguidores, seguida de Guevara con 700 y la ex delegada con apenas 3. En la twittbúsqueda, los candidatos del PRI aún no se han enganchado a esta herramienta.

Pero lo mejor de la época de Twitters durante la campaña fue lo que publicó la revista *Quién* el 20 de mayo de 2009.

LUIS MIGUEL FELICITÓ A LOAEZA POR SU CANDIDATURA

El cantante Luis Miguel escribió unas líneas para felicitar a la candidata a diputada federal por el distrito 10 de la Miguel Hidalgo, Guadalupe Loaeza, por su postulación a un cargo público. Según cuenta la también escritora en su perfil de Twitter, El Sol le brindó su apoyo al redactarle unas líneas, cosa que seguramente la halagó, y no es para menos, pues tener el respaldo de semejante personaje es para sentirse muy bien. Y aunque Luis Miguel seguramente no votará, la felicitación es lo que cuenta.

La misma noticia la difundió XEW. Más que gusto, me conmovió que una celebridad como él fuera una persona tan agradecida y de tan buena memoria. En agradecimiento le volví a mandar el texto al que se refería, que escribí en 2002 con motivo del lanzamiento de su disco número 18, *Mis boleros favoritos*:

Confieso que tengo con Luis Miguel una relación sumamente extraña. Nunca en mi larga vida he comprado uno de sus discos. Confieso que no me gusta cómo canta. Confieso que su personalidad me deja totalmente indiferente. Y confieso que si una de mis amigas me dice que es su admiradora doy por terminada la amistad. No obstante todo lo anterior, había algo en mi fuero interno que me decía que no me había dado la oportunidad de escuchar a conciencia a Luis Miguel. Sin duda era mi gusto musical lo que desvirtuaba la imagen del famosísimo cantante. "¿Y si en lugar de juzgarlo con tantos prejuicios lo juzgara con mis oídos y lo escuchara con toda tranquilidad?", me pregunté varias veces. Por eso decidí comprar por primera vez uno de sus discos. "Éste es el que acaba de salir, señora, y el primer día de ventas tan sólo en México se han vendido 125 mil copias", me dijo la vendedora de *Mixup*. Se trataba del disco *Mis boleros favoritos*.

Pues bien, aquí estoy toda oídos escuchando en estos momentos *No me platiques más*. Este bolero de Vicente Garrido es uno de mis predilectos junto con *Lágrimas negras*. Hace muchos, muchos años, mi cuñado Agustín se la llevó de serenata a Antonia mi hermana. Nunca se me olvidará esa madrugada de los años cincuenta. Todavía veo al trío cantando en la sala de la casa. A mi madre le dio tanto gusto "el gallo" que le llevaban a su hija que ya le urgía casar, que de inmediato se puso su bata de franela color pelo de camello, sus pantuflas y salió a la calle a buscar al novio y al trío. Me acuerdo de que los tres llevaban lentes oscuros, bigotes y mucha brillantina. Los tres se peinaban con copetito, olían a *Yardley* y le daban un aire al actor mexicano Luis Aguilar. Y los tres llevaban un traje gris claro, de solapa ancha y pantalones de "pata de elefante". Si mal no recuerdo, en esa ocasión también cantaron *La barca* y *Reloj* de Roberto Cantoral, *Solamente una vez,* de Agustín Lara, *Historia de un amor* del panameño, Carlos Eleta Almarán, y *Perfidia,* de Alberto Domínguez, entre otras muchas.

No lo podía creer. Todas esas canciones, que para mí tenían un significado muy especial, se encuentran en el álbum número 18, *Mis boleros favoritos,* de Luis Miguel, que estoy escuchando en estos momentos.

Pero volvamos al año de 1955, es decir, a la noche de la serenata. Mientras mi madre le ofrecía un tequilita al novio y a los del trío, mi hermana Antonia bajaba las escaleras enfundada en una bata de algodón azul marino, la típica bata de niña bien: de niña bien virgen y de niña bien enamorada. Así como canta Luis Miguel *La gloria eres tú* de José Antonio Méndez, el trío cantaba frente a las miradas entusiastas de doña Lola, de Antonia, del novio y de paso de la mía, que para entonces ya me había despertado. También me había puesto mi batita escocesa y mis pantuflitas. Tenía que asistir a ese *show* privado para contárselo al otro día a todas mis amigas del colegio. Creo que mi padre se había quedado en su habitación (despierto como ya estaba por el alboroto, seguramente continuó con la lectura de una de sus novelas policiacas) así como mis demás hermanos, porque no tengo memoria de ellos.

Eres mi bien/ Lo que me tiene extasiado/ Por qué negar que estoy de ti enamorado/ De tu dulce alma/ Que es todo sentimiento...

En ese momento me di cuenta de que el novio tenía cara de circunstancia y que de vez en cuando le echaba unas miradas de amor a mi hermana como diciéndole desde el fondo de su corazón:

Dios dice que la gloria/ Está en el cielo/ Que es de los mortales/ El consuelo al morir...

Por su parte, mi hermana, que ya se sabía la canción de memoria, la cantaba con sus ojotes azules, entre murmullos:

Bendito Dios/ Porque al tenerte yo en vida/ No necesito ir al cielo tisú/ Si alma mía/ La gloria eres tú...

No, nunca se me olvidará esta escena tan romántica que vista a la distancia se diría que es de una cursilería ilimitada. La conservo en mi disco duro, es decir, en mi memoria. De allí que en estos momentos disfrute plenamente estas canciones tan nostálgicas del álbum de Luis Miguel. Respecto a la canción *Historia de un amor*, al escucharla me remonto a la edad de diez años, cuando Antonia y Agustín eran la pareja más enamorada que había conocido. Un día se enojaron. Nunca supe la razón. Lo único que recuerdo es que se dejaron de ver por varias semanas. En esos días me encontré en la panadería Elizondo, de las calles de Pánuco, al que es ahora mi cuñado. Iba acompañado de una mujer rubia, muy alta. Lo que me llamó más la atención fue su cinturita "avispal", la cual rodeaba un ancho cinturón de charol negro. Los miré y me dio coraje. De alguna manera sentía que "el novio" también me estaba engañando. Los vi justo en el momento en que se acercaban al estante donde se encontraban los merengues; ella sujetaba la charola con unas manos perfectamente manicuradas, y él le ofrecía uno con las pinzas, para enseguida agregarlo a los otros pasteles que ya habían elegido ¡¡¡los dos!!! Recuerdo que me dio tanto coraje que hasta tuve ganas de tomar uno de esos merengues llenos de crema *chantilly* y echárselo a la cara al "novio". No lo hice. Pero lo que sí hice fue contarle todo a mi hermana. Se puso tristísima, y yo con ella.

Al día siguiente, el ex novio, suponiendo que yo ya había ido con el chisme con su ex novia, le mandó un disco de 78 revoluciones. En él había dos canciones interpretadas por Lucho Gatica: en la carátula A, *No me platiques más*, y en la B, *La historia de un amor*. ¿Cuántas veces escuchó mi hermana el disco? ¡¡¡Millones!!! Y al hacerlo lloraba y lloraba y lloraba, y yo junto con ella, que no dejaba de pasarle uno y otro *kleenex*. Sin exagerar, entre las dos hemos de haber consumido tres cajas de pañuelos desechables. Era una novia desconsolada. Una novia despechada, pero sobre todo, una novia enamorada. Pasaban los días: él, buscándola por teléfono y ella negándose con mucha dignidad, pero sin dejar de escuchar su disco.

Una buena tarde, y gracias a esas canciones, mi hermana lo perdonó. Volvieron a ser novios. Volvieron las serenatas, los regalos y las cartitas de amor. Al cabo de un año de ese terrible desencuentro se casaron. Actualmente tienen tres hijos, ocho nietos y son los esposos más felices sobre la tierra.

Algo me dice que ahora mis sobrinos nietos enamoran a sus novias con estas mismas canciones pero con la voz de Luis Miguel. No creo que se las hayan llevado como serenata, porque desafortunadamente ya no se usan. Algo me consuela pensar que les han regalado el disco de boleros de Luis Miguel. ¿Acaso lo anterior no es suficiente para agradecerle al intérprete el hecho de haber rescatado estas canciones? Por lo que a mí se refiere, se lo agradezco de todo corazón. ¿Se podría decir entonces que gracias a Luis Miguel los enamorados de las nuevas generaciones han recuperado el viejo lenguaje del amor? Estoy segura, porque cuando canta *Encadenados* de Carlos Arturo Briz, una tiene ganas de volver a enamorarse. Hay que decir que la voz de Luis Miguel junto con los arreglos musicales de Bebu Silvetti, hacen que este disco resulte de verdad ¡espléndido!

Ahora me explico todo. Me explico por qué gusta tanto Luis Miguel; por qué, en total, ha llegado a vender más de 52 millones de discos por todo el mundo; por qué ha recibido el premio *Grammy* en varias ocasiones y *La gaviota de oro* y platino, así como dos antorchas de plata en Viña del Mar; por qué ha recibido 10 discos de oro por todos sus éxitos; por qué llama tanto la atención en países como Japón, Taiwán, Indonesia, Tailandia, Corea, Malasia, Singapur, Hong Kong, Filipinas, Arabia Saudita, Bélgica, Australia, Finlandia, Portugal, Nueva Zelanda, Turquía, Holanda, Grecia, Francia, Dinamarca, Canadá y toda, toda Latinoamérica. A pesar de ello, confiesa nuestro modestísimo cantante:

"En mis discos no hay ni el 50% de lo que yo soy capaz de hacer, es un reflejo importante pero hay mucho más, que espero desarrollar en un futuro."

No, nunca imaginé que este texto acabaría por elogiar a Luismi, como pienso llamarlo de ahora en adelante. Nunca imaginé que sus interpretaciones me provocarían tantos recuerdos y nunca imaginé que terminaría comprendiendo a todos sus *fans*. Sin embargo, confieso que a pesar de toda mi admiración no iría a ninguno de sus conciertos. ¿Por qué? Por temor a encelarme a causa del fervor con el que lo han de escuchar millones de *fans* 30 años menores que yo. Claro que si nada más cantara boleros, voy volando a donde sea, sobre todo si contara con la seguridad de que me los cantara, nada más a mí, y al oído…

Twitters de campaña elegidos al azar

16 DE MAYO

Hoy hubo un desayuno en las Lomas. Todos muy sensibles a mis propuestas ciudadanas. Las crepas de Trini Belaunzarán, deliciosas.

21 DE MAYO

Después de un desayuno espléndido en las Lomas me despedí de mis 50 vecinas. Estimulada y esperanzada por un mejor México, más democrático.

24 DE MAYO

Voy corriendo a un mitin en la Popotla, muy cerquita del Árbol de la Noche Triste. Adoro los domingos porque es el día en que todo se vale.

25 DE MAYO

Los invito para que hoy lunes me escuchen en un interesante debate en Reporte 98.5 con Leo Zuckermann, de 9:00 a 10:00 p.m.

26 DE MAYO

Queridos Twitters: dice W Radio que su servidora es la campeona del Twitter. Gracias a ustedes. La noticia estimula. Besos ciudadanos.

28 DE MAYO

Estoy feliz porque me voy al Estadio a ver a los Pumas. Voy a gritarles muchas porras; quién quita y me entrevista Televisa…

29 DE MAYO

En campaña el tiempo se estira y se achica a su antojo. Es importante salir a votar o seguiremos, respecto a la democracia, en ¡¡¡pañales!!!

29 DE MAYO

Mañana sábado los espero en el tianguis de Polanco (Parque de los Espejos) a las 12, les voy a regalar una maravillosa playera "polo".

30 DE MAYO

Esta noche voy a un concierto en Toluca con mis ahijados Los Tigres del Norte. Soy su madrina desde hace 10 años. ¡Qué responsabilidad!

31 DE MAYO

Estoy desveladísima. Me acosté a las cuatro de la madrugada. Mis ahijados me dedicaron *La puerta negra* frente a 50 mil personas. Yo, su madrina, feliz.

3 DE JUNIO

Acabo de salir de Milenio TV, Jairo Calixto me hizo una entrevista divertidísima, me reí mucho; es talentoso y nada solemne. Pasa el viernes.

4 DE JUNIO

Tic, tac, tic, tac, el tiempo pasa. Me pongo nerviosa. La fecha se acerca. Quisiera recorrer toda la Miguel Hidalgo. La recorro con el corazón.

14 DE JUNIO

Después de un minuto de silencio por los bebés de Hermosillo, mañana de 3 mil personas en Tlaxpana, nos celebraron a Ana, a Víctor y a mí.

14 DE JUNIO

Qué triste haber perdido contra El Salvador. ¿Sabía usted que un futbolista mexicano gana lo que todo el equipo salvadoreño? Qué depresión.

14 DE JUNIO

Hoy, una señora me dijo que entre las propuestas de campaña no hay ningún candidato(a) que hable de los niños. Tiene razón, son el futuro.

14 DE JUNIO

Continúo triste y muy indignada por la muerte de los 42 niños en la guardería de Hermosillo. Mando toda mi solidaridad a las madres.

14 DE JUNIO

¿Qué tanta responsabilidad tienen el Seguro Social y los propietarios de la guardería ABC en relación con estas muertes? Que se aplique la ley.

14 DE JUNIO

Estoy en la México-Tacuba: hay que rescatar nuestro patrimonio histórico. Aquí están el antiguo Colegio Militar y el Árbol de la Noche Triste.

14 DE JUNIO

Ayer, Ana Guevara, en una tarde muy soleada, se echó una cascarita con el equipo de fútbol de Legaria. Fue un domingo muy festivo y ciudadano.

14 DE JUNIO

Tarde lluviosa pero llena de encuentros con los vecinos. El voto anulado es un voto inútil, no lo olviden. Votar significa democracia.

14 DE JUNIO

Estoy rendida. Elena Poniatowska nos acompañó a Ana y a mí a la Escandón. Muchos aplausos, porras y vivas para Elenita. Me voy a dormir… zzzzzzz.

15 DE JUNIO

Corrupción, corrupción, corrupción: he allí el mayor cáncer del país. Urge la ley de revocación del mandato. Urge eliminar el fuero. Fuera el fuero.

15 DE JUNIO

Hoy corrí con Ana Guevara frente a las puertas del deportivo privatizado Plan Sexenal. ¿Quién creen que ganó? ¡¡¡La ciudadanía!!!

16 DE JUNIO

Estamos más de 250 personas de la tercera edad en el Wing's del Colegio Militar; hablamos de sus derechos y de sus nuevos programas sociales.

16 DE JUNIO

Vamos bien. Muy bien. Sí, estoy optimista… Hoy hubo una plática en el Liceo Franco Mexicano con papás inteligentes y participativos. Besos.

16 DE JUNIO

Estoy muy contenta porque hoy me puse en contacto con Alejandro Martí para firmar el Pacto Nacional Ciudadano. Yo estoy comprometida.

16 DE JUNIO

Voy rumbo a Tacubaya; haré un recorrido y distribuiré los primeros ejemplares del libro *Voto, luego existo.*

17 DE JUNIO

Llegué a la lechería de Pensil a las 6.15 a.m. Ya estaba llena de vecinas y vecinos. Todos querían conocer mis propuestas.

18 DE JUNIO

El desayuno con 200 mujeres, esposas de militares, fue interesantísimo. Todas ellas ciudadanas de primera que van a votar. ¡Viva la democracia!

19 DE JUNIO

Ser entrevistada por Alfredo Palacios es todo un *happening*. Comprobé lo que ya sabía: es un gran comunicador. Vamos muy bien.

19 DE JUNIO

Está lloviendo, no tengo paraguas pero sí muchos deseos de decirles lo importante que es ir a votar. Es nuestro deber y derecho.

21 DE JUNIO

Muchas felicidades a todos los papás de Twitter, pero especialmente a las mamás que ejercen ¡la responsabilidad paterna!

21 DE JUNIO

Felicidades a los papás luchadores, consentidores, apapachadores y futuros votantes. Les mando 122 besos ciudadanos a cada uno de ustedes.

22 DE JUNIO

Soy una mujer de izquierda y por eso no podría ser panista.

22 DE JUNIO

¡Uf!, qué mañana: lechería en Legaria a las 6:00 a.m. Fotos para *Gatopardo* y tres entrevistas en radio y TV. ¡¡¡Estamos en la recta final!!!

24 DE JUNIO

Si el voto me favorece, mi prioridad será la cultura. La cultura es política, la política es cultura. En mi casa la cultura tenía un altar.

24 DE JUNIO

Corro al café Adonis en Polanco a una reunión organizada por mujeres. Me urge la dieta, no la legislativa, sino la de Ricardo Raphael.

25 DE JUNIO

Hasta hoy he firmado, entre recorridos, plazas, mercados y asambleas, más de 3 mil ejemplares de *Voto, luego existo*. He allí nuevos lectores.

25 DE JUNIO

Estoy impactada. M. Jackson ha muerto. Un símbolo, una época. Un personaje totalmente posmoderno. A pesar de la polémica lo vamos a extrañar.

26 DE JUNIO

Estoy muerta de cansancio. Mañana voy a la lechería de Pensil a las 6:00 de la mañana. No paro. Faltan algunas horas para mi meta. ¡¡¡Viva!!!

27 DE JUNIO

El corresponsal de *The Washington Post*, William Booth, me está entrevistando en Polanco; hablo de la realidad mexicana y no me cree.

27 DE JUNIO

Primer cierre de campaña: mañana domingo a las 12:00 p.m. en el mercado Zacatito, en la colonia Argentina Poniente. Tocará la Sonora Santanera.

27 DE JUNIO

Dicen las malas lenguas que Ana y yo nos la vivimos en los restaurantes de lujo de Polanco. Claro, son los restauranteros los que invitan.

28 DE JUNIO

Enrique y yo ya nos vamos al cierre de la campaña en Zacatito. Estoy feliz porque tocará la Sonora Santanera y vendrán mariachis.

29 DE JUNIO

Ana Gabriela no canta mal las rancheras, eso lo corroboramos en el cierre de campaña de ayer. Y yo no bailo nada mal con la Sonora Santanera.

30 DE JUNIO

Estoy en el Café O después de haber distribuido propaganda y plumas en la esquina de Reforma y Palmas. Mañana es el último día de campaña.

1 DE JULIO

¡Vayan a votar! Por favor no anulen su voto. Necesito que voten por mí. Me urge llevar su voz a la Cámara. Cuento con ustedes. Continúa…

1 de julio

Nuestro país se está cayendo a pedazos. Nos urge consolidar la democracia, tienen que votar. No me olviden el próximo domingo 5 de julio.

4 DE JULIO

No me quiero despedir de ustedes. Ya los extraño, ¿qué haré mañana por la mañana? No me abandonen. ¡¡¡Voten por mí!!!

Jacarandas y la siembra de propuestas

Durante las cuestionadas obras viales de principios de 2009, en la zona de Ejército Nacional y Ferrocarril los vecinos tuvieron una serie de enfrentamientos con las autoridades delegacionales que culminaron en acciones violentas. Era la primera vez en la historia de la Miguel Hidalgo que ciudadanos de las zonas residenciales eran víctimas de violencia física por parte de las autoridades panistas. Ésta es la historia:

Sábado 14 de febrero

1:00 A.M.

La Delegación Miguel Hidalgo, en pleno estilo "guerra relámpago", cercó toda el área verde del camellón que comprende la distancia entre Ejército Nacional y Homero, quedando en el interior de la cerca más de 500 metros de ciclovía, más de mil metros de pasto y alrededor de 70 bellísimas jacarandas. La barda que se mandó poner impedía ver hacia dentro. Por lo tanto no era sólo con la intención de marcar un perímetro de confinamiento, sino de obstaculizar visualmente hacia el interior.

1:30 A.M.

Después de ser testigos de un abuso más de poder cometido por las autoridades panistas de la Delegación, un grupo reducido de vecinos asistió al lugar de los hechos. Al ver ese laberinto de láminas que anunciaban la inminente destrucción de sus espacios verdes, los ciudadanos se retiraron des-co-ra-zo-na-dos: "¿Por qué insiste en agredirnos?", "¿Por qué nos provoca de esta manera?" "¿Qué no se darán cuenta de que la comunidad tiene miedo a que suceda una desgracia como la que ocurrió en San Juanico o en Guadalajara en 1992, cuando ocurrieron las explosiones de gasolina en el sistema de alcantarillado, lo cual provocó la destrucción de 12 kilómetros a la redonda?", se preguntaban los vecinos entre sí, sintiéndose totalmente desprotegidos ante la inseguridad de los 3 mil adolescentes y niños que asisten a clases en el Liceo Franco Mexicano, el cual se encuentra a un costado de la avenida Ferrocarril de Cuernavaca.

8:30 A.M.

Un grupo de vecinos regresa al camellón y al ver el eno-ooooooormme cerco de 2.50 metros de altura, fue tal su sentimiento de frustración que uno de ellos decidió abrir un acceso ayudado con la defensa de su vehículo para poder cerciorarse de qué era lo que sucedía en el interior del cerco. Lo primero que vio, no sin coraje, fue que los operarios de la constructora contratada por la Delegación se encontraban en medio de grandes preparativos para destruir el suelo y así poder empezar las obras del Ferrocarril de Cuernavaca sin importar los ductos de Pemex, de Metrogas, Luz y Fuerza y otras arterias que por allí circulan.

El resto del día los vecinos instalaron en el otro extremo del camellón, en la calle de Homero, una carpa y una mesa de vigilancia. Desde allí vieron llegar al director general de Seguridad Pública de la Delegación. Posteriormente llegó el director general jurídico y de gobierno quien dialogó con los vecinos y propuso volver a cerrar las cabeceras del camellón pero de manera que no se obstaculizara la vista. Finalmente no se llegó a ningún acuerdo puesto que este funcionario quería hacer unas excavaciones, las cuales no fueron aceptadas por los ciudadanos ya que ponían en riesgo la seguridad de los niños, de los trabajadores y de los que habitaban en esa área. Por la tarde regresó este mismo funcionario, mucho más tranquilo. Acordó con los vecinos dejar abiertos los extremos del camellón y "no escarbar". La mesa de vigilancia continuó hasta la 1:00 a.m. por falta de confianza en el cumplimiento de la palabra de los funcionarios.

Domingo 15 de febrero, día de la gresca

8:30 A.M.

A partir de esta hora los vecinos se empiezan a congregar en el extremo de Homero. ¡Oh, sorpresa!, más de 100 elementos de la Delegación conforman un agresivo grupo de choque. Se instala la carpa y la mesa de vigilancia en el ya muy reducido espacio que el tumulto delegacional deja para los propios vecinos.

11:00 A.M.

El director general jurídico y de gobierno de la Delegación intenta dialogar con los vecinos. Es evidente que sólo quiere "dorarles la píldora". Nadie le cree. Mientras tanto, en el interior del cerco el traxcavo empieza a destruir la ciclovía.

11:30 A.M.

No contentos con haber cerrado por completo el cerco, los enviados de la Delegación instalan una segunda reja, la cual empieza a ser tapiada para obstaculizar la vista.

12:00 P.M.

Ante tal provocación, cuyo objetivo era devastar todo lo que se encontraba adentro del cerco, los vecinos derriban la primera reja. Entre ésta y la segunda se suscita la tremenda gresca en la que el grupo de choque conformado por personal administrativo de la Delegación y uno que otro golpeador enfrentan a los valientes vecinos.

12:15 P.M.

Sin poder avanzar ni para atrás ni para adelante de pronto se escucha un estruendo en uno de los extremos del camellón. Al ver que por fin se abría un hueco, un ciudadano gritó con entusiasmo: "¡Ya la hicimos!" En efecto, se había logrado abrir un acceso al interior del cerco. Los vecinos empezaron a entrar. Los rostros del grupo de choque reflejaban miedo, nerviosismo, pero sobre todo, ira. Estaban siendo vencidos.

12:25 P.M.

Finalmente el grupo de vecinos llegó al traxcavo. Lo apagaron. Quitaron la llave. Se suspendieron los trabajos.

13:00 P.M.

Los vecinos terminaron de quitar los tapiales.

13:30 P.M.

El camellón de Ferrocarril de Cuernavaca y Homero quedó totalmente recuperado. Gracias a estos valientes ciudadanos, la zona fue liberada.

Por último diremos que jamás se había dado un enfrentamiento tan violento e injusto entre vecinos y autoridades en los 70 años de existencia de la colonia Polanco.

Debo decir que a raíz de la destrucción del camellón, un grupo de vecinos y el director del Liceo Franco Mexicano me invitaron a intervenir en su favor para detener la ola de agresiones que la Delegación estaba instrumentando con todo el poder político y jurídico, asistidos por la ceguera y la prepotencia. Fue una mañana del mes de febrero de 2009 cuando un grupo de vecinos hizo un plantón justo en el lugar donde habían sido arrancadas 70 jacarandas. Allí, arriba de un basurero, los convoqué a que no se quedaran con los brazos cruzados: "No podemos permitir que atropellen nuestros derechos y menos guardar la calma cuando amenazan la seguridad de nuestros hijos, nietos y vecinos. Debemos unirnos, permanecer juntos, porque eso nos dará la fuerza suficiente para resistir este abuso de poder, el cual no tiene fundamento ni razón de ser". Todos me escuchaban muy atentos. Yo estaba muy preocupada porque veía que los ánimos se exaltaban en ambos lados y no estaba segura de si eso tendría un buen final. El que más me mortificaba era el director del Liceo, quien para entonces había decidido instalar una tienda de campaña en el patio del colegio para vigilar que las acciones de la Delegación se mantuvieran dentro del acuerdo al que habían llegado. "Yo vi crecer esas jacarandas. Junto con los alumnos las cuidamos y las procuramos durante 20 años. Eran nuestro orgullo. ¿Cómo puede alguien dar una orden para desaparecer una tradición de la comunidad en tan solo diez minutos?", me preguntaba el director con un semblante estupefacto.

Entonces yo no tenía ni la más remota idea de que un mes después Alejandra Barrales me estaría invitando para ser candidata a diputada federal, precisamente por la Miguel Hidalgo. Me solidaricé con la pena que seguramente sintieron niños y vecinos al ver devastadas sus jacarandas en el camellón del Ferrocarril de Cuernavaca, y decidí sembrar jacarandas durante mi campaña como si cada una de ellas fuera una propuesta.

El 11 de mayo, mi equipo con palas, carretillas y 20 arbolitos de jacarandas donados por Leonardo Obregón Santacilia, nos dimos cita en el camellón con muchos vecinos. "He aquí un acto simbólico. Aunque no conseguimos el permiso de plantar estas jacarandas por parte de la Delegación, las dejaré en manos del director del Liceo como muestra de mi intención de construir con todos ustedes una relación de respeto, tolerancia y comprensión de las necesidades que todos tenemos. Entre ellas, cuidar las zonas verdes y luchar por ellas para no vivir en una ciudad de autos sino de personas. Muchas sociedades de ambientalistas y ecologistas están dispuestas a obsequiar a los habitantes de Miguel Hidalgo que lo soliciten, árboles de jacarandas para que se reforesten las zonas que han sido taladas o dañadas".

Ésta fue una iniciativa que los vecinos vieron con mucha simpatía, no sólo los de las zonas residenciales, también tuvo mucho éxito en las colonias populares.

¡¡¡Que viva el optimismo!!!

Date: Sat, 5 May 2009 16:11:13
Guadalupe:

Aquí te mando el breve análisis que hice: si no hacen alianza con el PRI, los números no me dan tu sola, yo creo que si no se logra la alianza no te lances al ruedo, o platíquenme cómo le piensan hacer y con base en qué. Bueno, me lo platicarías luego porque no creo que este medio sea seguro. Inclusive de otro teléfono celular, de esos de 300 pesos del *Oxxo* o *Seven Eleven*, un número nuevo, porque seguro te mantienen espiada en todo.

En resumen, veo tres opciones:

1. Esperarse a otra diputación con una candidata menos fuerte.

2. Que te den una pluri con tus contactos, que no sean gachos.

3. Esperarse a la siguiente.

De lo contrario no veo cómo ganarle 20%, es demasiado dadas las circunstancias, haz números y verás. Claro, confiando en que la encuesta no fue manipulada y te dieron a conocer lo que quisieron.

RESPUESTA DE GL
Mi querido Mario,

No es el momento de escepticismos, no obstante te agradezco tu genuina preocupación. Créeme que no estoy sola, cuento con un equipo espléndido y con una contrincante muy desprestigiada y muy irresponsable. No te olvides de las colonias populares donde existe un voto duro para el PRD. Mi partido está muy interesado en recuperar la Miguel Hidalgo. El candidato del PRI, Martín Olavarrieta, está muy débil. No te preocupes, no estoy sola. Por otro lado, quiero decirte que sí me ofrecieron una pluri, pero desafortunadamente, después de haber estado en segundo lugar, me bajaron hasta el 13. No hay que ser tan pesimistas, el PRD no está tan abajo en las encuestas de la Miguel Hidalgo, al contrario, es la segunda opción. Te escribo, además de para tranquilizarte, para que no te olvides de que mañana es el arranque de la campaña. Acabo de filmar un *spot* que saldrá en YouTube para anunciar mi lanzamiento y decir que no salimos públicamente debido a la influenza. Por favor no seas tan desconfiado, Ana Gabriela Guevara está súper bien en las encuestas.

Muchos besos, Guadalupe.

Éste es el estilo de correos que recibía de mis amigos más cercanos, preocupados por una desventaja abrumadora que mi entusiasmo por seguir en campaña no alcanzaba a ver. A pesar de que me alertaban con tan buena voluntad, por mi parte minimizaba sus advertencias pensando que desconocían todas las herramientas, asesorías y personal que rodeaban mi campaña, lo que consideraba que era más que suficiente, además de que contaba con una imagen muy positiva para ganar la contienda.

Primer vía crucis

"Acuérdate de que mañana es tu primera rueda de prensa", me dijo Mary entre entusiasmada y preocupada. No era para menos, en esos días los temas que estaban en el ambiente mediático eran salud y economía. Las ocho columnas de *El Universal* del 7 de mayo rezaban: "El secretario de Hacienda, Agustín Carstens, dijo que México ya se encuentra en una recesión económica, y anunció que el gobierno estudia posibles cambios legales para que pueda ajustar el presupuesto anual a partir del comportamiento de los ciclos económicos. 'Es un hecho que estamos en una recesión', expresó en una reunión con corresponsales extranjeros, y para el primer trimestre de 2009 calcula una contracción de 7% del PIB". Además, en la misma nota periodística se hablaba de la influenza A H1N1, la cual ya había provocado miles de contagiados y 44 muertos.

"Aunque no estés muy versada en el tema tienes que hablar de economía", me dijo Vianey Lozano, responsable de prensa, una joven rubia, casada con un notable periodista de *Proceso* y madre de un niño que la obligaba a irse a su casa corriendo a las tres de la tarde. "¿De economía?", le pregunté incrédula. Según ella, no tenía opción, o era economía o salud. Después de mucho discutir entre Jorge Puga, Mary Vázquez, Vianey y yo, optamos por economía porque, sin duda, era el tema en el que se concentraba nuestra mayor preocupación. Entonces me prepararon unas tarjetas informativas cuyo lenguaje, siglas y terminología me eran totalmente ajenos: "A pesar de que existen diferentes protocolos y planes de contingencia ante fenómenos, la presente crisis de salud nos ha enseñado que debemos respaldar en la ley un conjunto de medidas mínimas para proteger la economía de las familias y de las empresas. Hacer esto brindaría a los mexicanos afectados un sustento jurídico, dejándolos fuera del capricho de los tiempos políticos o de los gobernantes. Por ello, quiero compartir con ustedes mi propuesta para presentar la Ley de emergencia económica para trabajadores y PyMES… Y PyMES…". No acababa de pronunciar correctamente las siglas, cuando de pronto escuché la voz de Sofía: "¿De qué diablos estás hablando? ¿Cómo que *paymes*, con acento en inglés? ¿Qué no sabes que significa *Pequeñas y medianas empresas?* Se dice: 'pymes' y son las que sostienen la economía nacional. Todo el mundo lo sabe. ¿En qué planeta vives? Pero claro, como tú nunca lees la sección económica de los periódicos, pues no tienes ni idea del significado de lo que estás proponiendo. No, Guadalupe, estás perdida. Mejor hubieras hablado de cultura. ¿Qué digo? Lo mejor es que no te hubieras lanzado. ¡Desiste! ¡Renuncia! Ve cómo están sufriendo los de tu equipo. ¿Y qué me dices de los de la prensa? Fíjate en sus caras. ¡No dan crédito! Lo peor de todo es que lo que estás leyendo, ni tú misma te lo crees."

Tenía razón Sofía. En esos momentos no era yo la que hablaba. Era una ciudadana actuando en el papel de una candidata que no había leído con anterioridad sus tarjetas. No bastaba con leerlas sino que había que comprenderlas. ¡Qué sufrimiento para todos! Sin duda fue un mal cálculo por parte de mi equipo y mío aceptarlo. Hubiera sido más fácil hablar del tema de salud. Me hubiera sentido mucho más cómoda, pero sobre todo, más genuina. Les hubiera dicho, con mis palabras y no de las de mi equipo, que el 52% de la población de la Delegación no tiene acceso a los servicios de salud y que sus programas de prevención sólo cubren al 7% de la población de Miguel Hidalgo. Les hubiera dicho que esto me parecía inconcebible, que una de las delegaciones que más predial recauda tenga tan deficientes servicios de prevención y una pobre iniciativa para incrementarlos. Les hubiera dicho que las enfermedades como el cáncer de mama y el cérvico uterino son las principales causas de muerte entre las mujeres, que representan el 54% de esa delegación, y que son previsibles. Igualmente, les hubiera comentado, desde el fondo de mi corazón, que el 40% de muertes en esa demarcación son producto de enfermedades cardiovasculares y diabetes, cuyo riesgo se puede disminuir considerablemente fomentando una cultura de prevención porque hay gente que no sabe que está enferma. Les hubiera hablado de las necesidades urgentes de las personas de la tercera edad, que suman casi el 22% de la población. Y, finalmente, les hubiera dicho que también la Delegación estaba enferma, muy enferma, porque la mayor parte de la riqueza se concentra en menos de la tercera parte de los habitantes de esa demarcación. Que estaba enferma porque casi el 80% de los empleos está enfocado en el sector de los servicios turísticos y culturales, los cuales con la influenza estaban sufriendo una parálisis sin precedentes. Pero sobre todo les hubiera hablado de un tema que a mí en lo personal me preocupa mucho y que tiene que ver con la enfermedad que aqueja a la mayor parte de los jóvenes de las colonias populares de la Miguel Hidalgo, la delincuencia. Jóvenes que roban, que se drogan, que están involucrados en el narcomenudeo y que no tienen esperanzas en el futuro. Ellos también están enfermos porque no creen en su gobierno y mucho menos en su delegación. De todo esto les hubiera hablado en esa primera rueda de prensa.

Al otro día, para mi sorpresa, me habló Sofía para felicitarme. "Ya leí en el periódico acerca de tu conferencia de prensa. Qué bárbara, nunca imaginé que supieras tantas cosas sobre economía." Le di las gracias por su felicitación y corrí a buscar el periódico. He aquí lo que publicó *El Universal* el 15 de mayo de 2009:

La escritora Guadalupe Loaeza, candidata a diputada federal por el PRD en Miguel Hidalgo dio a conocer ayer su propuesta para crear la Ley de emergencia económica para trabajadores y PyMES, en caso de que sea electa como legisladora.

En conferencia de prensa en su casa de campaña en Polanco, Loaeza explicó que con esta ley el gobierno federal podría apoyar en los casos de crisis de salud o desastres naturales a aquellas entidades que se vieran afectadas en su economía, como ha ocurrido recientemente en el DF por el brote de influenza tipo A H1N1.

Abundó que de contar con una ley así los empresarios afectados por una contingencia ya no tendrían que preocuparse de entablar negociaciones con el gobierno, pues por ley se podrían aplicar descuentos o prórrogas para el pago de cuotas patronales de IMSS e INFONAVIT, además de para las cargas fiscales.

"Claro, escuchamos que va a haber muchas compensaciones, muchas disculpas, con respecto a los empresarios grandes. No sé por qué siempre que hay un desastre natural, se tiene que compensar a los sectores empresariales, se les tiene que consentir. Lo que deberían estar pensando estos empresarios es cómo reactivar la economía", dijo la candidata.

Sus propuestas, agregó, buscan combatir lo que ella llama un modelo económico de los gobiernos panistas.

"Una vez más, el modelo económico que han sostenido los panistas prueba su insostenibilidad", aseguró Loaeza.

Según la candidata, el costo de esta crisis la pagarán los sectores sociales más necesitados del país y se podrían generar más de 6 millones de nuevos pobres.

Por otro lado, la escritora se presentó oficialmente como candidata a diputada y habló de las visitas que ha realizado en distintas colonias de la demarcación.

Expresó que hace tres días estuvo en la zona de la Pensil, donde recogió quejas de los habitantes, entre ellas, varias sobre que los jóvenes por falta de empleo han optado por dedicarse al narcomenudeo.

La buena y la mala

Una cosa es leer y saber a propósito de la "guerra sucia" y otra cosa es vivirla, padecerla, y ser objeto de ella, tal como empezó a sucederme al principio de mi campaña. De este tema se ha ocupado mucho el columnista y director de la publicación *Voz y voto*, Jorge Alcocer. Según él, a partir de la rivalidad que se dio en la contienda presidencial de 2006 entre el Partido Acción Nacional y el Partido de la Revolución Democrática, que por primera vez en su corta historia tenía la Presidencia al alcance de su mano, con un candidato carismático seguido por miles de mexicanos, empezó a darse lo que se llama "guerra sucia".

Al candidato por la presidencia del PRD se le suelta la lengua y le grita a Vicente Fox, en incógnita plaza pública, "Cállate chachalaca". La TV difunde el denuesto, encuentra que tiene impacto, lo sigue difundiendo. Los publicistas del PAN detectan el impacto, producen un *spot* para responder y aprovechar el gazapo del perredista, al que, además, asocian con Hugo Chávez. "Tan intolerante uno como otro", dicen.

Más adelante el maestro en economía afirma que:

La guerra sucia es jugoso negocio para el duopolio que controla la venta de publicidad y el *rating*. Tiene en su origen el estilo impuesto por la TV en sus espacios noticiosos. Las propuestas de los candidatos no son noticia, no tienen *rating*. Lo que jala al público es el escándalo, la diatriba, el reparto de lodo. Los medios impresos imitan y amplifican el estilo. Nutren primeras planas y columnas con dichos o especulaciones en los que imperan filias y fobias.

En México, en Internet, que aún no cuenta con la influencia suficiente para que se convierta en la zona donde se libran las campañas políticas, también se da la guerra sucia. Como dice Sebastián Campanario del periódico *El País* (11 de mayo de 2009):

> La campaña sucia llegó a Internet y ya es el terror de los candidatos. Identidades falsas en Twitter y Facebook y pirateo de sitios oficiales, las armas más usuales.

Tiene razón el periodista español al decirnos que en las campañas digitales existe lo que se llama un *trade off*, es decir, las variables que se llegan a mover a la inversa. Éstas son muy difíciles de predecir, pero sobre todo de solucionar porque la espontaneidad carece de mecanismos de medición que nos ayuden a precisar hasta dónde usarlos y los riesgos que existen al equivocarnos en su uso. "Todos (los candidatos) quieren ser como Obama y hacer una campaña espectacular en los medios digitales", opina Fernando Barbella, experto digital de la agencia BBDO de Argentina. En relación con las páginas apócrifas, sucede lo mismo. Para protegerse, se tendrían que comprar todos los sitios con los puntos disponibles en los países de todo el planeta, lo cual es imposible. Así es que el candidato, o candidata, estará siempre expuesto hasta el día en que se fijen reglas que, como hemos visto, no funcionan muy bien.

Así me sucedió con mi página *web*. El 15 de mayo descubrí que mi sitio de Internet había sido plagiado. Al realizar la búsqueda http://www.guadalupeloaezaciudadanadebien.org.mx, constaté que habían montado otro sitio *web* no oficial con mi nombre y en el cual desvirtuaban mis propuestas, mi eslogan y mis discursos, así como las notas periodísticas que se comentaban y alteraban de manera ofensiva. La denuncié de inmediato ante el Instituto Federal Electoral. Lo peor de todo era que mi equipo técnico, en la persona de Jorge Islas, cada vez que lograba bajar la página apócrifa, ésta aparecía en otro servidor, haciendo imposible combatir esa guerra sucia. Lo que más me preocupaba es que esa página, la mala, la subieran a YouTube, confundiendo al electorado. ¿Quién la había puesto? ¿Quién la había pagado? Y, finalmente, ¿quién la quitó en el momento en que salió publicada en todos los periódicos mi denuncia ante el IFE? Por último, no podemos dejar de decir que para 2012 estas tácticas sucias seguramente se irán sofisticando más y más, y los *hackers* tendrán un reinado en el cual podrán ser contratados (léase comprados) al mejor postor. Por su parte, Internet se convertirá en el rival más importante de la televisión como zona de influencia para que el electorado tome una decisión sobre los candidatos. Ojalá que para entonces exista una vacuna contra las páginas apócrifas.

El traspatio de la Miguel Hidalgo

Sé que es difícil de creer pero los que viven en las 11 colonias residenciales de la Miguel Hidalgo ignoran que a tan sólo unos metros de Ejército Nacional existen 43 colonias populares y 14 pertenecientes a la clase media.

No hay duda de que la Delegación Miguel Hidalgo es de grandes contrastes: tiene la zona residencial en la que se recauda la mayor cantidad de impuesto predial de la Ciudad de México, donde viven las fortunas más importantes del país, donde se encuentran 250 galerías de arte, 14 museos, la mayoría de las embajadas con su residencia, más de 200 restaurantes de lujo entre antros y bares, 15 hoteles de lujo, cuatro *malls* donde se hallan las mejores marcas. Además de que se encuentran la residencia oficial de Los Pinos, el Castillo de Chapultepec, el Auditorio Nacional, el Museo Nacional de Antropología, el Museo de Arte Moderno, el Museo Rufino Tamayo, el Museo Nacional de Historia y la zona verde más grande de la ciudad, el histórico Bosque de Chapultepec.

Para tener una idea de cómo está conformada la Delegación Miguel Hidalgo, permítanme transcribirles el cuestionario que me formuló la revista *Quién* publicada el 21 junio, y cuya calificación fue, afortunadamente, muy positiva para mí. En estas preguntas encontrarán información interesante que tal vez desconozcan.

1. *¿Cuántas colonias comprende la Delegación Miguel Hidalgo?*
Hay 81 colonias.√
2. *¿Cuál es la colonia más grande de la demarcación?*
Desde luego Bosques. ¿Nunca te has perdido en Bosques de las Lomas? √
3. *¿Cuál es la colonia más pequeña?*
Fíjate que el nombre se me grabó porque se llama Popo.√
4. *¿Qué porcentaje de población es mayor de 60 años?*
Yo imaginé que el porcentaje era mayor, pero es como el 13%.√
5. *¿Cuántos indígenas viven y están registrados en la demarcación?*
Nadie creería que efectivamente hay indígenas en la Delegación y no lejos de Santa Fe ni de Masaryk, pero hay como 6 mil habitantes. Principalmente nahuas y otomíes.
6. *¿Cuál es el restaurante de fusión más caro de las Lomas?*
El *Bakéa* es el más caro. Un día invité a mis hijos y dije: "nunca más".√
7. *Mencione dos arquitectos mexicanos que construyeron en las Lomas.*
Juan Sordo Madaleno y Ricardo Legorreta, sin duda...Y Barragán.√
8. *¿Cuáles son los nombres de los ahuehuetes más célebres del Bosque de Chapultepec?*
Te voy a decir por qué los sé. Fue mi papá quien me llevó a Chapultepec. Lo recuerdo muy bien. Me dijo: "¿Ves esos árboles?, uno es El Sargento, lo apodaban así por el Colegio Militar. El otro se llama Tlatoani". Fue el mismo día que me dijo que la flor mexicana era la dalia.√
9. *¿Cuál es el restaurante de más éxito en las Lomas en el último año?*
Desde luego, el Café O, a donde suelo ir a desayunar con mi familia.√
10. *¿Cuántos hoteles se encuentran en la Miguel Hidalgo?*
Son cerca de 20 y ahí están los cinco más importantes de la ciudad.√
11. *¿Cuál era el antro de moda en Polanco antes de irse a la Roma?*
Hay uno que se llama *Love*, ¿no?√
12. *¿Quién diseñó y dónde está la Fuente de la Templanza?*
Sé que está en el Bosque de Chapultepec. (La respuesta correcta es el escultor Enrique Guerra y está localizada en el Bosque de Chapultepec.)
13. *¿Cuántos museos alberga la Miguel Hidalgo?*
Uy, hay muchos museos fantásticos... Creo que en total son 14.√

14. *¿Cuántas embajadas están ubicadas en la Delegación?*
Tendría que hablarle a Patricia (Espinosa), pero más de 50, seguro.
(La respuesta correcta es 62 embajadas y consulados.)

15. *¿En qué año se fundaron las Lomas?*
Fue en los años veinte, por eso conocemos la arquitectura californiana.√

16. *¿Nombre del ex presidente que fraccionó las Lomas?*
Claro, durante el alemanismo… Miguel Alemán.√

17. *¿Qué funcionario porfirista rediseñó personalmente Chapultepec?*
Lo sé porque acabo de escribir un libro… Limantour. Y fíjate que Antonieta Rivas Mercado fue quien le puso los nombres a las calles.√

18. *¿De dónde son las famosas rejas de la entrada de Chapultepec?*
No lo sé. (La respuesta correcta es Vizcaya, España.)

19. *¿Cuánto cuesta un viaje en pesero desde el Auditorio Nacional a la iglesia de San José, en Palmas?*
Ah, a la iglesia de "Pepe el Alquimista"… debe costar 5 pesos.√

20. *¿Qué regente cambió el uso de suelo sin consultar a los vecinos en las Lomas?*
Fue un escándalo. Carlos Hank González. Qué terrible, porque fue una decisión totalmente arbitraria.√

21. *¿Cuánto cuesta un metro cuadrado de terreno en las Lomas?*
Si mal no recuerdo entre 25 y 30 mil pesos el metro. (La respuesta correcta es 26,017 pesos.)√

22. *¿Cuántos antros cerró la ex delegada en la MH?*
Bueno, bueno… cerró más de 200 comercios. Y muchos le aplaudían. (La respuesta correcta es 12 locales conocidos como antros y al menos 200 giros comerciales.)

23. *¿Cuántas gasolineras hay de la Fuente de Petróleos hasta Santa Fe?*
La gasolinera de *La Tablita*, yo cargaba ahí. Es muy conocida.√

24. *¿Dónde está la célebre casa donde Cantinflas jugaba frontón?*
Híjole, ¡no sé! (La respuesta correcta es en la calle de Corregidores y era la casa de Francisco González Barragán, antiguo propietario de Chocolates La Azteca.)

25. *¿Quién fue el mayor inversionista en la urbanización de Polanco?*
A ver, a ver… Sí, Ramos Millán.√

Si me hubieran formulado este mismo cuestionario acerca de las colonias populares, lo más seguro es que no hubiera acertado con las respuestas. Por ejemplo, desconocía el nombre de muchas de estas colonias, como por ejemplo: Agricultura Santo Tomás, Anáhuac, Anzures, Argentina Antigua, Argentina Poniente, Cuauhtémoc, Pensil, Deportiva Pensil Norte, Deportiva Pensil Sur, Francisco I. Madero, Dos Lagos, Granadas, Granada (ampliación), Huichapan, Ignacio Manuel Altamirano, Irrigación, Lago, Legaria, Loma Hermosa, Lomas de Sotelo sección I y II, Manuel Camacho, Los Manzanos, Mariano Escobedo Anáhuac, México Nuevo, Modelo Pensil, Nextitla, Pensil Sur, Pensil Norte, Peralitos, Periodista, Plutarco Elías Calles-Santo Tomás, Popo, Popotla, Reforma Pensil, San Diego Ocoyoacac, San Joaquín, San Juanico, San Lorenzo Tlaltenango, Tacuba, Tlaxpana, Torre Blanca, Ventura Pérez de Alba, Verónica Anzures, 5 de Mayo, Ahuehuetes Anáhuac, América, Daniel Garza, Daniel Garza (ampliación), Escandón, Intersol Lomas, Lomas Altas, Plan de Barranca, Lomas de Bezares, Molino del Rey, Observatorio, Tacubaya y 16 de Septiembre.

Debo decir que la mayor parte de la campaña la invertí en las colonias populares, a tal grado que fue gracias a ellas que obtuve la mayoría de mis votos. Nunca olvidaré mi visita a Cañitas, viejo barrio conocido por haber sido el título de dos películas, una de terror, dirigida por Carlos Trejo, y otra llamada *Cañitas, punto presencia*, también de miedo, que dirigió Julio César Estrada. El argumento de estas producciones tiene que ver con la historia de una casa que se encuentra en la calle de Cañitas, habitada por fantasmas, donde una familia es víctima de eventos sobrenaturales que no se explican y que hacen sospechar la presencia de espíritus demoniacos. Asimismo existe un libro escrito por Carlos Trejo que asegura ser una historia real. Esta leyenda ha sido motivo de escándalo y acusaciones por parte de los medios de comunicación hacia Trejo por la veracidad de esta historia.

Las veces que la "avanzada" y yo fuimos de puerta en puerta para hablar con los vecinos no encontramos ni fantasmas ni diablos ni muchos menos escuché testimonios de estas historias que parecen ser un mito urbano más. Lo que sí encontré fue mucha pobreza, pero sobre todo mucha destrucción a lo largo de la calle de Cañitas, de la que no queda casi nada ya que el asfalto está totalmente levantado, con baches y agua estancada. "Mire señora, allí donde ve usted ese charco, allí están los puercos. Y ahora con la influenza estamos muy preocupados. La Delegación Miguel Hidalgo nos ha prometido varias veces que van a venir a repavimentar nuestra calle, pero no vienen. Y eso que votamos por los panistas…", me dijo una vecina muy enojada.

Esta misma situación de abandono la observé en otras colonias muy marginadas, como las que se encuentran al borde de las vías del tren en la colonia Mextitla, o en donde se hallan las vecindades cerca de la avenida Jalisco, cuyos vecinos ya ni pagan renta debido a la extrema pobreza de sus viviendas. No sabía que se podía vivir bajo esas condiciones. Eran viviendas que medían tres por tres o menos, llenas de humedad, oscuras, con hundimientos y grietas que parecían milenarias. Cuando los vecinos me invitaban a pasar en medio de grandes sonrisas y palabras amables se me sobrecogía el corazón al ver tan cerquita el rostro de la pobreza.

Lo que tampoco sabía de estas colonias es que había aproximadamente, según datos oficiales de la Delegación Miguel Hidalgo, seis minas debajo de 25 mil viviendas. Minas de arena y hundimientos de 50 metros de largo y 15 de profundidad que existen desde los años treinta y que no se han atendido adecuadamente, provocando un peligro entre los vecinos de colonias como Daniel Garza, América, 16 de Septiembre, Ampliación Daniel Garza, Observatorio, Tacubaya, Lomas de Bezares y una mina que afecta a Bosques de Chapultepec y Lomas, especialmente cuando llueve. El problema es de tal magnitud que nada más el estudio para conocer el problema de cada mina cuesta, aproximadamente, 700 mil pesos. Se necesitaría una inversión superior a los 12 millones de pesos para poder garantizar la seguridad de las familias que viven las 24 horas del día con el Jesús en la boca. Por todo lo anterior, muchos de estos vecinos me decían con un tono resignado pero que encerraba mucho resentimiento: "Señora, nosotros, los que vivimos de este lado, somos el traspatio de la Miguel Hidalgo".

Carta de renuncia encontrada entre papeles

México, 28 de mayo de 2009
Sra. Guadalupe Loaeza Tovar
Candidata a Diputada por el Distrito X
PRD

Estimada señora Loaeza:

Sé que este momento es para usted uno de los más complejos y desgastantes que ha vivido en su vida. Es muy probable que se encuentre cansada, confundida y se sienta muy sola. Créame que lo sé, por mi propia experiencia con otros candidatos a los que he tenido el honor de servir. Lo que menos quiero es distraerla y que sienta que no la respeto. Sin embargo, hay algunas situaciones que me tienen muy preocupada y que muy posiblemente usted no está viendo con claridad porque sus emociones son tan intensas y a la vez tan encontradas que no se lo permiten, y las personas que tiene cerca de usted y a las que escucha también están actuando con emociones y eso no es algo bueno para su campaña.

Sé perfectamente que hace poco tiempo que me conoce y aún no me he ganado su confianza para que escuche mi voz para dar un golpe de timón a su campaña; sin embargo, debe saber que dentro de su inusual equipo soy la que tiene mayor experiencia y profesionalismo político. Independientemente de la fractura que se dio y de que mi origen sea del lado de Mauricio Soto, mi compromiso está en la campaña y desde el principio mi premisa ha sido: "Yo vine aquí a ganar, y voy a buscar la victoria de la candidata con todo lo que tengo".

El problema que veo es que eso es lo que yo quiero, y no estoy muy segura de que eso sea lo que usted quiere; tengo mis dudas.

En todas las campañas políticas existen problemas y conflictos, los hay de todos los colores, sabores y muchas veces son tan estridentes que se hace necesario poner orden y establecer sanciones o expulsiones. Para evitar que esto suceda, es necesario que el candidato comprenda que en una campaña política las cosas no pueden manejarse con el corazón o al calor de las diferencias. Es la frialdad y la distancia lo que nos da las mejores oportunidades de no cometer errores.

Concédame la lectura atenta de este documento en la soledad de sus pensamientos; véalo y escúcheme. ¡Me permito informarle que está usted en verdaderos problemas y necesita ayuda profesional calificada! Candidata, está oyendo muchas voces y no todas son las adecuadas en este momento. Le están dando la razón en donde no la tiene, y no le están ayudando a ver su realidad y a trabajar con ella.

Candidata, sé que no es fácil estar en su lugar, pero debo insistir: es importante que comprenda que tiene la posibilidad de dar un giro a la situación de estrés y urgencia que estamos viviendo en la campaña, por lo que me permito darle mi consejo profesional en los siguientes puntos:

1. Aparte un poco más de lo posible su estado emocional de la campaña y trate de enfriar su temperamento lo más que pueda. Está usted expuesta a la vista de personas y medios de comunicación, la idea es que usted dé la nota, no que usted sea la nota.

2. Cuando el personal se queje con usted haga un análisis frío y considere las opciones que tiene para que todo jale lo más parejo posible sin sacrificar lo estratégico. No proteja a nadie: es trabajo de todos protegerla a usted y el que no lo haga y no entienda debe dejar la campaña por el bien de todos.

3. Repare su relación con su suplente, hablando con sinceridad y sin exabruptos, sin gritos y sin regaños. Llegue a un acuerdo político que los beneficie a usted y a él. Decidan juntos qué personas de su equipo y del equipo de él se deben retirar de la campaña. Le recomiendo que las gentes que tienen conflictos no deben tener nada que ver con la campaña ni con ustedes. Es costoso despedir al personal, por eso no deben ser amigos ni parientes que no tengan experiencia en campañas políticas o el carácter para este trabajo.

4. Cancele la salida de la casa de campaña que le proporcionó su suplente. Acuerde con él la utilización práctica del espacio obtenido en la otra casa y la utilización de ambos espacios sin perder lo que ya se tiene.

Candidata: separar al equipo es un error que tendrá consecuencias muy graves. Se perderá la comunicación, cada quien hará lo que se le ocurra y nada tendrá efectividad. Estaremos perdidos. Nosotros nos reunimos todos los días y trabajamos en los contenidos de sus medios, sus discursos, las respuestas a la gente que la busca en Internet, hacemos planes y buscamos soluciones. La gente que viene platica cosas con nosotros, y además tenemos contacto con usted, nos dice cómo se siente, lo que busca, lo que quiere, lo que le da recelo. Los que no tenemos conflicto estamos trabajando bien. Le pido que recapacite. Si lo hace será un duro golpe que pondrá en la lona a su equipo.

5. Acordar con su suplente la búsqueda urgente de un coordinador de campaña que tenga las *habilidades*, la *experiencia*, los *conocimientos* y la *disposición*. Sugiero que lo busquen dentro de un grupo de influencia, como acuerdo político, alguien de los vuelos de Amalia García con experiencia electoral, que beneficie la campaña. Necesitamos un tigre, fuerte y duro. Sugiero que lo hablen con prontitud entre ustedes y lo decidan. No se lo pidan al Partido porque no les va a responder, esta campaña no es la importante para ellos.

6. Pactar entre ustedes su agenda, a qué lados van juntos y en qué se separan. Aprovechar las habilidades y disposición de su suplente como coordinador de administración y finanzas para la parte de obtención de recursos adicionales y facilidades y la comprobación ante el órgano regulador del Partido y el IFE.

7. Establecer una lista de prioridades que se necesitan subsanar como es la necesidad urgente de un estratega. Yo entendí desde el principio que son Hugo Scherer y Joaquín Fernández, por lo que es necesario reunirse con ellos y analizar el rumbo de la campaña con instrumentos de precisión (encuestas) que les permitan tener una mejor toma de decisiones. El escuchar a todos está bien, pero hacer caso a todos no es buena idea. Hay que escuchar al estratega y a los especialistas, quienes son los únicos responsables. Los demás son operadores externos y se van a zafar si algo sale mal. Debe reunirse

con sus asesores regularmente. Debe fomentar que ellos tengan reuniones con su equipo de campaña.

8. Es importante que se defina el grupo para el cuarto de guerra, compuesto por el coordinador de la campaña, el abogado electoral, Joaquín Fernández, el asesor de imagen, el asesor político, el representante del Partido, de operación política y el de operación electoral.

9. Es importante, vital diría yo, que se reúna con la persona responsable de la operación electoral para que le explique la estrategia y quede conforme. Le recomiendo que incluya en esa reunión a su coordinador de campaña, sus asesores, Joaquín Fernández, Mauricio Soto. Y le recomiendo que lleve todas las preguntas por escrito para obtener respuestas eficientes y concretas. Ésta es una oportunidad para medir éxitos o fracasos en el día de la elección. Debe presionar constantemente, estar informada sobre la capacitación y sus representantes de casilla, cuáles son las necesidades que se deben cubrir para esta actividad, con tiempo y oportunidad de resolver problemas y estar listos para el día de la elección. Es responsabilidad de usted y del coordinador de campaña que esto tenga seguimiento y supervisión. Ésta es la parte crucial, si se descuida la derrota es segura.

10. Candidata: perder o ganar no es tan sencillo y es necesario reflexionar sobre cómo quiere ganar y cómo quiere perder. Ésa es una decisión sólo suya, pero debe prepararse mentalmente para cualesquiera de las dos posibilidades.

La derrota duele mucho, pero duele más cuando en la revisión de los acontecimientos nos damos cuenta de que no hicimos todo lo necesario para evitarla.

Señora Loaeza, todo lo dicho aquí ha sido con respeto, con la intención de ayudarla dentro de las posibilidades que tengo. Espero que lo vea de esa manera y esto que le he escrito le sea de utilidad.

Quiero informarle que debido a que no coincido con la forma en la que se está llevando esta campaña, y a que no cuento con la oportunidad de su parte para participar de una manera más efectiva y cercana a usted para ayudarle como me fue encomendado, he tomado la decisión de retirarme, lamentando mucho no poder servirle como había sido mi intención hacerlo desde un inicio.

Probablemente su enojo por esta decisión haga que no comprenda mis razones y no vea con claridad lo que ocurre a su alrededor. Pero quiero que valore que en vez de escoger una mentira para salirme ha sido mi elección decirle la verdad.

Le deseo sinceramente que todo salga lo mejor posible. Deseo de corazón que en otro momento de la vida existan mejores condiciones para trabajar a su lado si me da la oportunidad.

Respetuosamente, Mary Vázquez Guízar.

Segundo **acto**

Segundo acto

Si no quieres ver fantasmas, no salgas de noche.
Proverbio popular

Dos batallas

Desde que empezó la campaña, el 3 de mayo, pasaba algo extraño en mi fuero interno que no alcanzaba a entender: no me la creía; no me caía el veinte, en otras palabras, estaba pasmada. Respecto a la candidatura, sentía una resistencia que nunca imaginé que me embargaría en unas circunstancias tan importantes para mí. Había momentos, en que escuchaba una vocecita, la cual me recriminaba por haber aceptado la candidatura. Había otros, sin embargo, en los cuales esta misma voz, con diferente tono me alentaba a continuar: "No te desanimes. No eches por tierra las expectativas que muchos tienen en ti. Es un honor que llegues al Congreso, la tribuna más importante, para representar la voluntad ciudadana. Imagina las voces que allí han cambiado la historia. Imagínate transformando a la clase política, en la que nadie cree y a la que nadie quiere. Siente la esperanza de todos aquellos que van a votar por ti. Ser política no es conocer y aprender a jugar con las reglas, se trata de pasión, fe y amor por los valores ciudadanos en los que tú crees. Es cierto que no eres una política profesional, pero no olvides que tienes algo de lo que muchos carecen: autoridad moral. En eso radica tu principal fuerza".

Durante la campaña me embargaron todo tipo de sentimientos: miedos, contradicciones, limitaciones, confrontaciones, pero especialmente una ansiedad que tenía que ver con mi inseguridad y con descubrir una serie de situaciones que no esperaba. Por ejemplo, nunca olvidaré el primer debate que tuve con la panista en el periódico *Reforma*. En esos momentos, en los que debía haber estado serena, concentrada y enfocada en una estrategia de respuestas concretas, me rebasaron por completo mis emociones. Cuando la candidata panista me embistió con una reclamación que jamás imaginé haría por estar fuera de lugar, me desconcentré. Mi primer instinto fue responderle como si estuviese tomando una taza de café con alguien que súbitamente me confrontó con algo que yo daba por aclarado y que siempre consideré como un ataque constante de mis detractores. Perdí la concentración y olvidé defenderme como debía hacerlo frente a un rival. Porque no hay que olvidar que un debate electoral forma parte de la contienda y no hay misericordia. Tampoco hay que olvidar que en ese momento la proyección del más mínimo error se multiplica de manera muy significativa. Y por último, que en un debate todo cuenta: cada gesto, la postura, las palabras, el tono, la calma y especialmente el control de la situación, sea positiva o negativa, porque se pueden dar diez respuestas acertadas, pero basta con fallar una sola para reprobarlo. Por eso muchos candidatos no aceptan asistir a los debates, porque no hay duda de que éstos constituyen un arma poderosísima, capaz de destruir la credibilidad de un candidato. Para colmo, ignoraba la importancia de lo que se llama el post debate, que es lo que se convierte en el tiro de gracia o en la estrategia que puede dar un giro inesperado al resultado del debate.

En cambio, la panista lo tenía todo fríamente calculado. Ella sí hacía la guerra con conocimiento de causa, y tenía a sus tropas apostadas en todas las posiciones para tomar por asalto mi campaña y golpearme en la credibilidad y autoridad moral que eran los aspectos positivos más fuertes que tenía para enfrentar su prestigio de por sí deteriorado por haber abandonado su último cargo en medio de una controversia con sus gobernados. Además, la panista tenía a su favor más de diez años de hacer política. La sola fortaleza de manejar un lenguaje e ideas concretas desde el punto de vista ciudadano no bastó, ni bastarán para poder competir, desafiar y derrotar el código político: un lenguaje en el que lo que se dice tiene diferentes significados. Por ejemplo, a pesar de que entiendo perfectamente la situación económica por la que está atravesando el país, me resultaba muy complicado expresarlo con el lenguaje que utilizo cotidianamente: no es lo mismo decir "Ya no alcanza el dinero para nada", que decir, "Debemos reducir el gasto corriente". ¿Qué diablos es *gasto corriente?* "Es la erogación que realiza el sector público y que no tiene como contrapartida la creación de un activo, sino que constituye un acto de consumo, por ejemplo, los recursos humanos, la compra de bienes y servicios necesarios para el desarrollo de las funciones administrativas", dice un informe del Banco de México. Me perdonarán los economistas, pero yo prefiero decir: "No hay dinero que alcance".

No, no se puede hacer política improvisando soluciones. No se puede inventar una fórmula milagrosa. Para hacer política se requiere de una profesionalización, y aunque la empecé, al estar en campaña no tuve el tiempo de culminarla.

Tuvieron que pasar muchas semanas para que me asumiera como una candidata ciudadana con las oportunidades y las amenazas que estaban en el camino. Entonces me di a la tarea de hacer una campaña potenciando mis atributos ciudadanos: el reconocimiento de abanderar causas justas sin lucrar por ello, la convicción con la que defendía el compromiso asumido. En mis recorridos a ras de piso no hubo cansancio ni distancia con aquellos a quienes visitaba; por el contrario, mi interés genuino hacía enfadar a mis coordinadores quienes me exigían, casi, visitas de doctor, y yo en la total desobediencia me quedaba más tiempo con cada uno de ellos. ¡Cuántas lecherías no visité a las 6:00 a.m.; en cuántas escuelas y guarderías no se toparon conmigo los padres de familia al abrir las puertas del plantel; a cuántas asambleas en unidades habitacionales que se encontraban en colonias populares y de clase media asistí; cuántas manos estreché; cuánta gente me rodeó siempre pidiéndome algo y cuántos ejemplares *Voto, luego existo* firmé personalizados con nombre y apellido. El hecho de haber firmado más de 3 mil libros me gratificaba enormemente, a pesar de que mis asesores me presionaban para no perder tanto tiempo. "Yo quiero que lean y que sepan por quién van a votar. Con este libro quiero que me lleven a su casa, que lo presten, y que si no gano, el día que me los encuentre se acuerden de mí", les argumentaba para que me dieran más tiempo para firmarlos.

El prólogo de ese pequeño libro de 104 páginas me llenaba de orgullo; lo escribió solidariamente la gran dramaturga mexicana Sabina Berman. Independientemente de que se hable en términos tan elogiosos de mi persona, me permito transcribir el texto de Sabi por la calidad de su narrativa, por su buen humor y porque sus reflexiones tocan fibras muy importantes para la ciudadanía:

POR QUÉ GUADALUPE SÍ

Estas elecciones probablemente no voy a votar. Creo que no voy a hacerle de extra en una película que no me gusta. Los políticos profesionales poniéndonos sus caras en cada poste de las ciudades, en cada espectacular de las carreteras, asaltándonos la conciencia en 26 millones de *spots* de TV y radio.

Esto es peor que vivir en la dictadura cubana, que te vende 5 horas de Fidel Castro cada domingo en la TV. Acá nos venden cada 3 minutos a un popurrí de políticos profesionales increíbles.

Increíbles: es decir, en los que mi creencia se suspende en vilo y oscila dubitativa.

¿Quién es realmente este señor, o esta señora? ¿Son ciertos sus asertos o las descalificaciones de sus opositores son las ciertas? ¿Qué me promete concretamente? ¿Lo ha dicho en alguna parte?

Esto es cosa muy seria. No puedo dilapidar en esta apuesta el resto de mi fe en la democracia como idea del gobierno. A cada candidato me lo imagino claramente sintiéndose feliz por haberse ganado una curul, una delegación, una gubernatura, y no me imagino a alguno haciendo concretamente nada por mí o por mi colonia o por mi país.

Confieso aún más: el IFE ya sabe de mí todo esto.

El otro día se apersonó en mi casa un enviado del IFE buscando a la ciudadana Sabina Berman, que había sido electa por el azar para ser presidenta de casilla.

Le dije:

—No está en casa esa ciudadana. Buenas tardes.

Estaba cerrando la puerta de mi departamento cuando el enviado del IFE, ya vuelto hacia el elevador, se giró hacia mí, adelantó su índice y dijo:

—Usted *es* Sabina Berman. No se haga. La vi la otra vez en la tele, y hablando de política. Usted *debe* ser presidenta de casilla.

—Mire —le contesté—, no estoy segura de que voy a votar por algún político profesional.

Me dijo:

—Bueno, no importa. Vote en blanco, pero sea presidenta de casilla.

Típico arreglo priista. Bueno, esté aunque piense usted que no está; enójese pero no se salga de nuestro sistema; diga que sí pero en el fondo no.

Le dije:

—Lo felicito por hacer su trabajo bien, pero creo que tal vez, no sé, no estaré ahí.

Y no, creo que no estaré en la casilla y no votaré por ningún político profesional y he escrito y he hablado públicamente disuadiendo de votar sólo por votar: Los políticos profesionales deben enterarse que no somos cabezas de chorlito, sartenes de teflón, amnésicos.

No se nos ha olvidado que en el bendito año 2000, 7 de cada 10 ciudadanos votamos por un cambio. Y no se nos olvida de pronto, así en un pestañeo, que el cambio no ha llegado enérgico, vigoroso, valiente.

Pero, pero, pero: pero si fuera habitante de la Delegación Miguel Hidalgo, sí votaría, y votaría —lo digo con total honestidad— por Guadalupe Loaeza para diputada federal. Y si Enoé Uranga, candidata independiente afiliada al PRD, necesitara mi voto, que no lo necesita porque está en la lista de plurinominales, también votaría por ella.

¿Y por qué por Guadalupe Loaeza sí?

Precisamente por las razones por las que no estoy segura de que puedo votar por los políticos profesionales que hoy ofertan los partidos.

Primera razón

Porque tengo memoria. He leído a la Loaeza desde hace 30 años y sí sé qué piensa. Piensa que es posible una izquierda moderna. Es decir, una forma de gobernar favoreciendo a los muchos, es decir los pobres, y donde los pocos, es decir los ricos, participen generosa y creativamente.

Una izquierda no lumpen ni lumpenizante. Una izquierda que está en la punta de la creatividad. Incluso, o tal vez sobre todo, la creatividad cultural.

Una izquierda lejana al estalinismo. Una izquierda que va por todas y cada una de las libertades individuales.

Una izquierda que se amista con los buenos empresarios. Que los reconoce como parte de la solución para todos. Que quiere, además, más trabajadores volviéndose empresarios. Menos monopolios del Estado o privados y más libre competencia entre ciudadanos pudientes.

Más ciudadanos más libres y más pudientes. Eso quiere la izquierda moderna y de eso ha escrito Guadalupe Loaeza los últimos 30 años.

Segunda razón

De nuevo: porque tengo memoria. Más allá de la escritura, Guadalupe Loaeza ha estado siempre en el activismo de la izquierda. Hablando en auditorios, presentando candidatos, organizando gente.

Ha dado la cara y ha dado su tiempo y ha dado su imagen por los temas de la izquierda. Y alguna vez algún zapato que en algún mitin multitudinario se le ha caído.

Tercera razón

Porque *no* es una política profesional.

Dirán algunos: zapatero a tus zapatos, la política es para profesionales. No, no, no. Ni que fuera ciencia altísima la política. La grilla, puede ser que sea una forma de sociología oportunista de altos cálculos, pero la política no es cosa de doctorados. No lo debiera ser en una democracia.

Quiero decir, Guadalupe no se oferta para diseñar puentes o hacer operaciones quirúrgicas. Se oferta acá para hacer lo que sabe hacer muy bien: hablar y escribir de lo que lleva hablando y escribiendo 30 años.

Se oferta para hablar en el estrado del Congreso y para presentar por escrito iniciativas de leyes sobre temas que conoce.

Le tengo entera confianza a Guadalupe, en especial porque es una insolente de larga carrera. No me la imagino "recibiendo línea", no me la imagino cambiando su voto en el Congreso porque la llamó por teléfono un jefe de partido, no me la imagino hilando tenebras con mafiosos de la política, de quienes tan bien se ha burlado en sus textos.

En cambio, me la imagino, sí, haciendo olas en el Congreso. Rompiendo las formas, sí. Tomando la palabra y diciendo una verdad que a todos incomode. Usando palabras llanas y no el sub-lenguaje cuasi-metafísico de los políticos profesionales. Usando frases que rompan la solemnidad, que nos hagan reír, que nos despierten. Me encanta imaginarla así. Recordándole a los políticos profesionales que el Congreso es la casa de los ciudadanos.

Si sólo fuera por volver más común que gente no profesional de la política llegase a la política, votaría por Guadalupe.

Y de nuevo, porque sé que presentará iniciativas que vuelvan leyes las libertades civiles.

La libertad para amar a quien amas. La libertad por dar a luz si estás lista para dar a luz. La libertad para creer en lo que quieras. La libertad para morirte como mejor puedas. La libertad para que las mujeres vivamos sin violencia (tema en que ya tiene redactada una ley).

Sé que además presentará iniciativas para volver nacionales los mejores programas que la izquierda ha implementado en la capital del país. Lo sé porque así lo dice, y resulta que le creo.

Cuarta razón y ya acabo

Porque va por la Delegación Miguel Hidalgo.

Como yo nací y me crié y conozco como la palma de mi mano a la Miguel Hidalgo, sé que Guadalupe le queda de diputada como anillo al dedo. Es más, Guadalupe es la personificación de los conflictos reales de la Miguel Hidalgo, una delegación donde cohabitan las niñas bien de las Lomas y de Polanco con las mujeres proletarias de las zonas de la gente obrera; los señores de los Mercedes, con los padres que ganan el salario mínimo y viajan en su vochito o en camión.

¿No ha dedicado la Loaeza su vida a resolver, dentro de su propia conciencia, el conflicto de las clases de la Miguel Hidalgo?

La Loaeza atenderá con igual gracia y elegancia a las señoras y los señores de Polanco que a los señores y señoras proletarios. Los entiende por igual.

Entenderá que los padres de los niños del Liceo Francés quieren para sus hijos seguridad, como entenderá que los padres de los niños del pueblo de Tecamachalco quieren seguridad también, pero en *su* zona.

Entenderá a unos y a otros, con igual seriedad y gracia.

Y los recibirá a todos en su oficina, si le piden cita. Vaya, es tan amable Guadalupe, y a veces su buena fe es tan excesiva, que mucho me temo que hasta recibirá a quien se lo pida en su propia casa.

Sí, me la imagino. Abre la puerta y dice:

—Pase por favor, está en su casa. Perdón, déjeme ver, ¿estamos en el Congreso, que por supuesto es su casa, señora ciudadana, o estamos en mi casa, que por supuesto también es la suya?

Bueno, ahí está, si es usted de la Miguel Hidalgo, aproveche que puede votar por la Loaeza.

Sabina Berman
Mayo de 2009

A pesar de que para el mes de junio lo tenía un poco más claro que cuando arranqué, no lograba acallar mis voces internas. Por cierto, una de ellas, era la de Sofía, mi *alter ego*; ésa era la más implacable. Era la que me alertaba sobre los riesgos que yo estaba corriendo. Un día me preguntó: "¿Y has pensado lo solo que está Enrique, tu marido, mientras tú estás en tu campaña egocéntrica. Farol de la calle, oscuridad de tu casa?"

Para variar, Sofía tenía razón. Al mismo tiempo que me encontraba librando esa batalla interna de tantas voces encontradas, se libraba otra, no nada más en el distrito por el cual competía, sino en el interior de mi casa. Mi marido estaba furioso. Él también estaba batallando en su fuero interno con otra serie de voces que tenían que ver con un marido que se sentía abandonado: "¿Para qué se lanzó a esa cosa? ¿Debí haberla disuadido? ¿Se dará cuenta de que jamás lo hablamos lo suficiente? ¿Se dará cuenta de que es muy diferente ser 'diputada plurinominal' a lanzarse a una contienda electoral? Por otro lado, ¿qué es lo que me pasa que no me permito ser más solidario con ella? ¿Acaso tengo el derecho de impedirle una inquietud genuina? Para colmo, me reprocha que no la apoyo, pero, ¿cómo la puedo apoyar cuando estoy preocupado por nuestra relación? Pero, ¿por qué tiene que invertir tantas horas en una campaña? Cuando llega tan tarde a la casa, ¿vendrá realmente de una asamblea como dice? ¿Qué pasará con nuestra relación, si efectivamente resulta electa y es diputada?"

He aquí los cuestionamientos que se hacía Enrique, que en ese momento no los compartió conmigo. Yo los ignoraba por completo; estaba demasiado ocupada tratando de escuchar mis propias voces y de resolver mis propios desafíos.

Los días pasaban y conforme transcurría el tiempo la campaña se iba intensificando. En lugar de disfrutarla, tal como me lo recomendaban mis asesores políticos, yo la padecía. A la mitad de la campaña corroboré lo que intuí: que no tuve el tiempo suficiente para conocer a fondo el código político. Ése era mi talón de Aquiles.

Todo lo anterior viene a cuento porque durante esos dos meses que duró la campaña, ignoré la importancia que tienen las responsabilidades compartidas entre la vida pública y la vida privada. Ahora que puedo, a la distancia, hacer un balance de esa experiencia, y que mi marido y yo hemos hablado en varias ocasiones sobre lo que nos sucedió internamente respecto a cómo vivimos la campaña, he llegado a la conclusión de que la vida pública afecta, irremediablemente, a la privada, en especial a las mujeres casadas. ¿Es esto injusto para nosotras? Sin duda.

No quiero generalizar, pero tengo la impresión de que los hombres que tienen esposas, hermanas, madres, tías y novias políticas, sufren y no saben cómo actuar y cómo manejar sus sentimientos.

Tan es así que cuando una mujer de familia sale a la vida pública, de inmediato vulnera el liderazgo alfa que tradicionalmente pertenece a los hombres. ¡Cuántas sonrisitas no habrá causado Enrique entre sus amigos cuando, tal vez, se refería a mi campaña! ¡Cuántas invitaciones habrá recibido de sus compañeros de trabajo mientras yo estaba en medio de una asamblea en la colonia Pensil! "Vamos a una fiesta, mano, la candidata llegará tarde a casa", le decían seguramente sus cuates.

¿Qué hubiera pasado con mi matrimonio de haber ganado la diputación?

¿Se hubiera ido al traste? ¿O hubiera hecho todo por conciliar la vida pública con la privada? ¿Qué tan lejos está el día en que las mujeres puedan participar libremente en la vida pública sin que esto afecte a su vida privada? ¿Dónde están las responsabilidades de cada uno?

El mundo de la política es un mundo aparte; es tan demandante que de pronto roba los tiempos, no solamente los que corresponden a una jornada de trabajo, sino que el gusanito del poder se infiltra en los tiempos familiares, en la pareja, en los amigos, en la intimidad, y cuando menos se da uno cuenta, no se puede hablar de otra cosa que no sea de la política. Para evitar problemas, la pareja debe tener los mismos intereses políticos y funcionar como cómplice y aliado, o llegar a acuerdos como: "Mira, te pido que me acompañes a eventos en donde tu presencia será indispensable. Comprende que habrá otras reuniones en las que los asuntos son confidenciales, y en ese caso debo ir sola". Esto lo dice, naturalmente, una mujer política. Sin embargo, el político varón ni siquiera se cuestiona si debe aceptar o no un cargo como funcionario y si con ello sacrifica los tiempos familiares y los de pareja. Él lo acepta en aras del deber y porque la Patria así se lo requiere. Mientras la mujer debe negociar, el hombre lo da por hecho. La brecha de inequidad entre hombres y mujeres dentro de la política es tremenda. Tan es así que sólo tenemos dos secretarias de Estado y dos gobernadoras. Peor aún: de 2,439 municipios en todo el país, solamente el 4% tiene presidentas municipales. Ése es el punto de inequidad, cuando el padrón electoral está formado por más de 51% de mujeres. En un país en donde nosotras decidimos quién nos gobierna, no tenemos mujeres con la disponibilidad para ocupar cargos de elección popular. No es falta de candidatas, sino que no hay suficientes mujeres empoderadas para gobernar. Allí están las "Juanitas" de San Lázaro. Pero no basta con ganar, hay que asumir todos los compromisos, deberes y obligaciones que conlleva la victoria electoral, es decir, dedicarse 100% a la política.

"De la que me escapé", me digo ahora, sin ánimo de festejar la derrota ni mucho menos para consolarme. Lo digo de corazón. Estoy totalmente segura de que hubiera dañado mi relación con mi pareja, mis hijos, mis amigos, pero sobre todo con mis lectores. Porque no hay duda de que ya no hubiera tenido tiempo para escribir. Tres años como diputada federal es mucho tiempo.

Un día Sofía me preguntó: "¿Qué vas a hacer si ganas? ¿Y Enrique?" En ese momento me di cuenta de que estaba ante un gran dilema: ¿La curul o mi marido? ¡Oh, my God!

Decidí esperar los resultados de la elección, los cuales finalmente me favorecieron. ¿Por qué? Porque me quedé con Enrique.

Espíritu Santo, fuente de luz, ¡ilumíname!

Estaba segura de que era la mejor decisión que había tomado en la recién iniciada campaña. Además, no podía negarme, había que darle la primicia a mi periódico. "Entonces, señora Loaeza, ¿acepta usted?" Dije que sí, que por supuesto, que faltaba más, y además que al mal paso hay que darle prisa. ¡Qué tan segura estaba en algo tan estratégico! Para colmo, ni siquiera lo consulté con mi equipo; me lancé sin red de protección. Jamás imaginé las maromas que tenía que hacer para poder dar un buen espectáculo electoral.

No, jamás imaginé las acrobacias que me esperaban para poder salir lo menos raspada posible. ¡Qué teatro! ¡Qué expuesta me sentí en un ambiente que consideraba, relativamente, controlado! Nunca olvidaré la primera confrontación real con la panista. Se trataba de lo que iba a ser el debate más atractivo a nivel mediático de todas las campañas para diputados federales.

La víspera del encuentro recibí un correo muy estimulante de mi estratega personal:

Date: Wed, 27 May 2009 19:05:23-0500
Subject: Re: FW: Debate

¡¡Mucha suerte!!

Acuérdate: no la ataques a ella, ataca sus acciones, el hecho de que no asistía a las juntas vecinales, su administración, sus protagonismos; los malos resultados del PAN en temas de seguridad, su maltrato a la gente... Oblígala a responder a tus preguntas señalando que si no responde por sus actos es imposible que los votantes ahora respondan por ella.

Ella representa a la política de siempre, la que se olvida de la gente. No porque sea joven sus ideas y su forma de relacionarse con los votantes es moderna. Ya hemos tenido experiencias muy malas con políticos jóvenes, que nada más muestran ambiciones con viejos vicios del poder. Compárala con los jóvenes de partidos sin escrúpulos.

Toma siempre el camino elegante de criticar a todos los partidos, incluido el PRD, por las viejas ideas y la política de divisiones.

Cuando no sepas qué decir o te haga una buena pregunta, por ejemplo, tu cercanía con AMLO, contesta otra cosa por completo, como la importancia de la participación ciudadana o sobre la democracia y la lucha de ideas y no de poder. Cuando no tengas propuestas de un tema di que, contrariamente a ella, piensas consultar a la ciudadanía, consultar a expertos antes de tomar una decisión. Sabes que no tienes todas las respuestas.

Habla de que eres libre y ciudadana porque no buscas una carrera política a costa de todo y no tienes gente que a tu alrededor busque enriquecerse. Por eso votarás leyes con tu conciencia y no como estrategia de arribismo político. Que conoces a los mexicanos y la historia de México por los años de escribir crónicas. Que votarás con madurez y no por capricho.

Finalmente puedes concluir que crees que las urnas son también una forma de sancionar las malas administraciones y que sabes que el 5 de julio las víctimas de la prepotencia de la panista buscarán votar por otro partido.

¡¡Mucha suerte!!

¡¡¡Las pugilistas!!!

En esta esquina, del lado derecho, del grupo de los villanos, con tres victorias al hilo, una por decisión y las otras dos por nocaut, tenemos a la política experimentada de la Miguel Hidalgo, "La panista". En la otra esquina, del lado izquierdo, tenemos, temblándole las rodillas, a la candidata ciudadana en su debut en el ring de la Delegación, conocida por todos como la "Ex niña bien"...

Sin exagerar, el debate del 28 de mayo en el periódico *Reforma* para mí fue una verdadera pelea de box. Como cualquier boxeadora que asiste a su primer pelea, con el cuerpo caliente y toneladas de adrenalina traté de mantener el ritmo para esquivar los golpes bajos de la panista. Había *rounds* que me parecían eternos.

He aquí cómo un cronista deportivo hubiera narrado esta pelea inolvidable para los barrios y colonias de la Miguel Hidalgo.

PRIMER *ROUND*
—La seguridad pública es una facultad del GDF, del Jefe de Gobierno, y así lo mandatan las leyes, no nada más los dichos, y tuvimos grandes logros a pesar de ello [...], a pesar de que el Jefe de Gobierno nos amenazaba con quitar a la Policía cuando no quisimos apoyar su corruptísima Torre Bicentenario"

¡¡¡¡¡¡¡¡¡¡¡Zaaaaaaaazzzzs!!!!!, aún no terminan de medirse las dos pugilistas, cuando la panista se adelanta con un inesperado gancho izquierdo que roza la tersa quijada de la ex niña bien, quien de inmediato levanta sus

dos brazos para cubrirse y responde con la velocidad de un rayo, y lanza un jab derecho. La afición está a la expectativa, ya que de aquí se deduce quién podrá ganar la campaña.

—La seguridad es uno de los temas más preocupantes. La Miguel Hidalgo es la tercera delegación más insegura de toda la ciudad. El 95% de los vecinos piensa que éste es un problema en su colonia. Hace casi tres años se prometió asignar dos policías por calle, así tuviese la Delegación que buscar recursos en la iniciativa privada. Esto no se cumplió. Allí están los problemas de la delincuencia organizada, de la corrupción y del robo de vehículos y en la vía pública...

Juaniiiiiiiiita de Arco se tambalea y se agarra de las cuerdas para ser rescatada por el toque de campana. La ex niñaaaaaaaa bien se ve confiada y se retira elegantemente a su esquina... Casi no suda, se ve impecable. Se acomoda su cinturón cuya hermosa hebilla de plata muestra las siglas de su partido. Ésta es una pelea ¡¡¡históoooooooorica!!! Pelea pactada a tres rounds.

Segundo *round*

Y suena la campana para arrancar el segundo round *de esta lucha de titanes. Con este par de gladiadoras electorales no hay a quién irle. Y da inicio: la panista se lanza sobre la ex niña bien con una retahíla de golpes que la acorralan en una esquina, donde la castiga sin piedad...*

—Nací y he vivido toda mi vida en la Miguel Hidalgo. He trabajado por ella y por los vecinos desde distintas trincheras con las ganas, con el entusiasmo de solucionar los problemas a los que nos enfrentamos. Miguel Hidalgo es una delegación de contrastes. He trabajado por la delegación y lo que estoy haciendo es campaña para una nueva oportunidad de seguir trabajando por Miguel Hidalgo.

Soltando su izquierda mortífera, la ex niña bien se zafa y se dispone a cobrar la afrenta, llevando a Juanita al filo de las cuerdas, golpeándola duramente.

—La panista insiste en decir que se acercó a los vecinos, cuando en realidad no los atendió, los ignoró. Están hartos de no haber sido escuchados ni tomados en cuenta. No cumplió el 70% de las principales acciones prometidas en campaña. Tiene un subejercicio, es decir, que se gastó la mitad de su presupuesto, lo cual es una falta administrativa y refleja la poca planeación en la Delegación. Taló más de 40 jacarandas, varios fresnos y más de 500 árboles de especies protegidas en Reforma y Palmas. Yo estoy totalmente dispuesta a renunciar si no cumplo lo que prometí.

Juanita no puede salirse de esta encrucijada porque la han lastimado en el round *anterior, además siempre ha tenido muchos problemas con las zurditas. Lanza la derecha, lanza la izquierda, pero sin puntería. Es el 28 de mayo de 2009. Ésta es una pelea histórica y....¡Suena la campana! La ex niña bien está un poquito aturdida. La novata ha resistido valientemente una golpiza impresionante. Pero se mantiene en pie. Su estilo nos recuerda a la aspirante al campeonato nacional de peso gallo, Mariana, Barbie, Juárez. A pocos segundos de empezar el* tercer round, *vemos a los entrenadores, que dan los últimos consejos a las gladiadoras para sobrevivir en la recta final.*

TERCER *ROUND*

Suena la campana y regresamos con este par de guerreras del riiiiing. ¿Quién dijo que la mujer no sabe pegar? La ex niña bien, bastante precavida, toma la iniciativa y lanza un gancho para tratar de conectar las partes blandas de su rival...

—Yo sí tengo autoridad moral para llevar su voz al Congreso, yo no estoy prometiendo, ni haciendo acuerdos, ni tengo una agenda oculta. Yo sí puedo caminar por Polanco y en todas las colonias populares.

El izquierdazo es terrible, le rompieron la quijada a Juanita. Como patada de mula fue ese guamazo inesperado y asesino. Se enoja. Por primera vez en este pelea vemos que se tambalea. Es claro que el golpe le ha llegado hasta el alma. Con la cabeza fría, a pesar de estar sangrando por la ceja derecha, no se deja avasallar y responde bien plantada, a pesar de que los golpes la han dejado en malas condiciones.

—Creo que la autoridad moral la dan los vecinos [...] busquen a Guillermo Sheridan en *Letras Libres*, quien ha documentado los plagios de la señora que ni siquiera ha escrito sus propios artículos.

De pronto un golpe sale de la nada, con toda la fuerza del enojo de la panista, que conecta en el hígado de la ex niña bien que cae de rodillas en la lona. El réferi interviene para aplicar el conteo de contención que interrumpe porque Juaniiiiita no permanece quieta en su esquina. La quiere ir a rematar antes de que recobre el aliento. ¡¡¡Uno, dos, tres, cuaaaaaaatro, ciiiiiiiinco, seeeeeeis, siiiiiiiiiiete...!!! ¿Qué vemos? Increíble, se está levantando. Las piernas se le hacen de hule... Se ve aturdida... La audiencia, emocionada, exclama: "ex niñaaaaa, ex niñaaaaa, ex niñaaaaa, tú puedes, tú puedes, tú puedes. Duro, duro, duro". No lo puedo creer. Si no es porque lo estoy viendo, no lo creería. Ese golpe era knock out, *seguro. Pero, no, la ex niña bien se resiste a perder. El réferi da la señal para reiniciar la pelea y la panista se prepara para rematar…. Pero no puede….*

—Eso ya lo aclaré en las propias páginas de *Reforma*. ¿Cómo comparar mi supuesta falta cuando tú tienes más de siete demandas judiciales? Por eso necesitas tanto ganar, para protegerte con el fuero que viene con el puesto. Como bien dicen los vecinos a los que has perseguido con demandas penales, eres caprichosa y vengativa. Mira, respecto a la corrupción prometiste crear un Consejo Ciudadano de expertos en cada área para supervisar a los funcionarios, especialmente en obras y en el área del jurídico. Ésta es otra de las propuestas que jamás cumpliste; al contrario, la Delegación se vio constantemente criticada por los vecinos por violaciones de licencias de uso de suelo, proliferación de construcciones fuera de la norma, invasión de publicidad, denuncias por tráfico de influencias, abuso de poder, hasta de violación de los derechos humanos. Eliminaste el programa "1000 pesos para 1000 familias" destinado a la población más pobre de la Delegación, y en cambio lo dedicaste a construir banquetas. Privatizaste los centros deportivos. En la Delegación Miguel Hidalgo la cobertura social de los programas sociales no llega ni al 7% de la población. Es, sin duda, una de las delegaciones de la ciudad que más descuidada está en el rubro social. En una encuesta realizada por la asociación Urbanitas, la calificación obtenida fue de 4.1, 81% consideró que incumpliste tus promesas de campaña. Si ganas, no podría entender cómo lo lograste…

He aquí el último *round* que me hubiera gustaba haber protagonizado el día del debate. Pero no fue así.

A pesar de que estaba perfectamente consciente de que el golpe bajo de la panista me había desconcertado, mi equipo me sugirió que me proclamara vencedora. "Una cosa es la *percepción* y otra cosa es la *realidad*. Respecto a esta última poco es lo que podemos hacer, porque 'golpe dado ni Dios lo quita', pero sí podemos trabajar con lo que queremos que la gente vea, es decir, con lo que los ciudadanos *perciben*."

Tenían razón. Por lo tanto saliendo del *Reforma* había que mandar un mensaje a todas las redes sociales (incluyendo el *blog* de mi periódico), diciendo: "Yo gané el debate". Porque todo personaje público que pretenda aspirar a algún cargo de elección deberá exponerse y someterse a la opinión pública. Esta circunstancia obliga a desarrollar una estrategia de comunicación política para vender una imagen y de esta manera obtener el favor del votante. Según Philippe J. Maarek en su obra *Marketing político y comunicación*, el *marketing* es "el conjunto de medios de que disponen las empresas para crear, mantener y desarrollar sus mercados, o, si se prefiere a su clientela".

Por su parte, Anthony Pratkanis y Elliot Aronson, en su obra *La era de la propaganda. Uso y abuso de la persuasión,* afirman que "Estamos ante una situación que puede denominarse el *dilema esencial de la democracia moderna.* Por un lado, nosotros, en cuanto sociedad, apreciamos la persuasión; y nuestro gobierno se basa en la creencia de que la libertad de expresión, discusión e intercambio de ideas puede conducir a una toma de decisiones mejor y más justa. Por otra parte, en tanto avaros cognitivos, a menudo no participamos plenamente en esta discusión, basándonos en cambio no en una reflexión detenida y un examen del mensaje, sino en recursos de persuasión simplistas y en un razonamiento limitado. Así, favorecemos a la propaganda irreflexiva, y no a la persuasión convincente".

El autor de *El Príncipe,* Nicolás Maquiavelo (1469-1527) decía que "No es preciso que un príncipe posea todas las virtudes, pero es indispensable que aparente poseerlas".

La persuasión es un acto de comunicación que espera una reacción o condición para ser efectivo o no y la percepción es la información que el cerebro toma del entorno y la da por un hecho.

Si manejamos con eventos positivos la percepción del candidato se orienta a la opinión pública mediante la persuasión, y el candidato cae parado desde cualquier altura porque la percepción crea realidad.

El politólogo, especialista en estrategia y psicólogo estadunidense Robert Greene, autor de *Las 33 estrategias de la guerra,* afirma que: "La vida es un campo de batalla y estamos rodeados de oponentes, bien sea que parezcan enemigos o aliados. Independientemente de cuánto nos guste el ideal de una sociedad tranquila, es importante que aprendamos a proteger nuestro negocio y a nosotros mismos".

VAMOS A GANAR NOSOTROS
De: Federico Antoni
Enviado: martes, 02 de junio de 2009 08:19:03 p.m.

Ma,

Te he visto en un par de *twitts* un poco confiada con haber ganado el debate y hoy con estar segura de ganar la elección. El resultado del debate en el *Reforma* muestra que tu contrincante te sacó la delantera. Estoy convencido de que debes creer en tus *chances* y tus votantes deben verte como viable para que puedas sorprender y ganarle al PAN en su tierra.

Sin embargo, creo que transmitir un exceso de confianza tiene riesgos: por un lado, que los votantes sientan que eres arrogante ya que al final son ellos quienes deciden, y por otro lado el que al final se imponga el PAN y la derrota sea más amarga. No hay duda de que lo más problemático es que un exceso de confianza dentro de tu campaña, nutrido por un *group think* y por los eventos exitosos, inhiba el esfuerzo y la energía indispensables para que ganes una contienda en donde no eres la favorita.

Acuérdate de que la campaña es de los votantes y que tu misión es mejorar las cosas para ellos. En tu campaña los protagonistas somos los ciudadanos no el candidato: somos nosotros lo que tenemos que ganar el 5 julio.

Un beso, Federico.

Queridísimo Federico:

No te olvides de que nadie vota por los vencidos, los vencedores ganan guerras sin ejércitos. Te sugiero que te lo repitas todos los días.

Besos, tu mamá.

¿Tanto por tan poquito…?

"¿Qué hace un diputado federal?", me preguntó Sofía en una ocasión en que comimos juntas en la *Casa Portuguesa*, maravilloso restaurante que se encuentra frente al Parque de los Espejos, el cual, durante la campaña, se había convertido en una especie de "cuarto de contienda", en donde casi a diario me reunía con mis asesores ciudadanos, es decir, "la pandilla de Polanco", la cual me ponía al día de chismes, rumores, leyendas e información respecto a la panista. Afortunadamente, ese día llevaba las tarjetas enmicadas que me preparaba mi equipo. Mary estaba tan desesperada de que no las leyera que incluso le preguntó a Alejandra qué se podía hacer al respecto. "¿Quieres que te haga caso? Ponle fotos de sus nietos entre ellas, para que le sean más agradables. Vas a ver cómo las va a consultar con el menor pretexto". ¡Qué espléndido consejo! Así fue. Pregunta que me hacían a propósito de mi campaña o acerca de la Miguel Hidalgo, respuesta que buscaba entre mis tarjetones. En una ocasión les hablé desde mi celular cuando me encontraba en mis recorridos para pedirles que me prepararan unas tarjetas sobre el fuero constitucional, cuando el tema que urgía que se tratara por una reunión que sostendría esa misma tarde era el de la educación. Pobres de Jaime (Hernández) y de Mary, cómo los acosaba con solicitudes de información que iban desde ¿de qué se trata el Artículo 4 constitucional?, hasta el número de tortillerías en las colonias populares. Lo más llamativo de todo es que siempre terminaban por elaborar las tarjetas con mucha información, con muchos datos duros, pero sobre todo, con prontitud. Todos los acuerdos que llegué a firmar con ONGs y grupos vecinales nunca fueron rechazados. Al contrario, los ponían como ejemplo a mis compañeros de fórmula.

Leí detenidamente a Sofía lo que hace un diputado federal, gracias a las tarjetas preparadas por Jaime y Mary:

- "Atiende a las personas y organizaciones representantes de los diversos sectores sociales del país para conocer de sus peticiones. La cercanía con la gente y su constante preocupación por mejorar la vida de los ciudadanos son cualidades necesarias en un buen diputado.
- "Participa en las comisiones de trabajo a las que pertenece para estudiar y dictaminar sobre los asuntos que son sometidos a su consideración. Analizar problemáticas y posibles soluciones es vital en el trabajo de cualquier diputado.
- "Asiste a las Sesiones Plenarias, donde se conocen los dictámenes que emiten las Comisiones, para que una vez discutidos puedan ser aprobados o denegados.
- "Realiza su trabajo político a nivel local y nacional, buscando el óptimo acercamiento entre diputados y la sociedad. El diputado es el vínculo entre nuestro gobierno y la gente.
- "Representa al Congreso en misiones oficiales, tanto dentro como fuera del país. El diputado da la cara por aquellos a quienes representa y aboga por su bienestar."

Además, le expliqué, que un diputado federal lleva al Congreso las propuestas de los ciudadanos para que sean estudiadas y se elaboren y modifiquen las leyes necesarias en beneficio de todos los mexicanos. Diseñan el Presupuesto Federal que se aplica para atender las necesidades de cada Estado y cada municipio. Un diputado federal también es un gestor permanente de las necesidades de los ciudadanos de su distrito por lo que siempre debe estar cerca de él y dispuesto a atender a la ciudadanía.

Sofía me escuchaba con cierta condescendencia. Se hubiera dicho que en el fondo le tenía sin cuidado el quehacer de los diputados. De pronto, se limpió las comisuras de los labios y entornando un poco los ojos perfectamente bien maquillados, me preguntó muy seria: "¿Y cuánto les pagan por hacer todo eso?" Nunca me lo hubiera preguntado. De nuevo consulté mis tarjetas (después de haberle mostrado las más recientes fotografías de mis nietos), y le leí:

"De acuerdo con el *Diario Oficial de la Federación* las percepciones de los legisladores federales son las siguientes: $77,745 pesos por dieta neta, es decir, por mensualidad sin impuestos, aunque los diputados no están exentos, se los paga la propia Cámara. Por asistencia legislativa un diputado recibe $45,786 —¿te das cuenta?, nada más por levantar el dedo—. Por atención ciudadana le pagan $28,372 pesos. Lo que hace un total de $152,303 pesos libres de polvo y paja cada mes. Además, por presidir una Comisión les dan $200,000 pesos mensuales y está el aguinaldo de 40 días, boletos de avión cada semana para ir a 'trabajar' al estado de origen, o ayuda terrestre de $10 mil pesos a los que viven en un radio menor a 300 kilómetros, lo cual incluye la Ciudad de México. También tienes un bono para despensa de $3,000 pesos mensuales y una tarjeta IAVE. Igualmente, te pagan la gasolina, tu celular y el sueldo de tus asistentes y asesores. ¿Sabes cuánto gastó la Sesenta Legislatura, es decir, la pasada, nada más en celulares entre 2006 y 2009? ¡¡¡32 millones de pesos!!! ¿Y en boletos de avión? ¡¡¡613 millones de pesos!!! ¿Y por la cuenta de telefonía fija? ¡¡¡190 millones de pesos!!! Lo más barato fue tomar agua, gasto que representó 6.8 millones de pesos. Ah, se me olvidaba decirte que de llegar a ser diputada tendría, naturalmente, coche y chofer. Sin olvidar un seguro de gastos mayores y uno de vida de primer nivel, que incluye dentista, optometrista y anteojos gratis. Y para cerrar con broche de oro, además de todas estas prebendas, la Cámara también se encarga de pagar los gastos funerarios. Estos seguros incluyen a mis padres, a mi marido y a mis hijos. Además de todo esto existe la posibilidad de cobrar un bono de retiro por más de un millón de pesos. Lo más maravilloso es que nada más trabajaré seis meses al año pero sólo dos días a la semana, es decir ¡48 días!"

Sofía no daba crédito a mi relato. Por primera vez vi cómo era víctima de esa mordida de la que nos habla el escritor italiano Francesco Alberoni, "la mordida de la envidia". Por primera vez vi cómo sus finos labios se apretaban cada vez más conforme escuchaba la lista de privilegios que tiene un representante popular.

Estaba tan abrumada con todos estos datos, que antes de despedirnos me preguntó: "¿Estás segura de que vas para candidata federal? Para mí que entendiste mal. Tu candidatura ha de ser para diputada local, para la Asamblea del Distrito Federal". Me le quedé viendo con cierta ternura y exclamé: "¡Brincos diera, porque un diputado local gana mucho más dinero que uno federal!" Mi amiga no comentó nada más. Se limitó a pedir la cuenta, no sin antes agregar: "Yo te invito. Pero eso sí, cuando ganes y seas mi-llo-na-ria, me invitas unas patas de cangrejo de Alaska, como las que sirven en el *Central Brasserie*."

Por increíble que parezca, efectivamente, un diputado local gana mucho más que uno federal. Su salario mensual asciende a $191,992 pesos. A los presidentes de Comisiones y Comités se les otorgan $74 mil pesos mensuales para la operación de las mismas, y $100 mil pesos anuales para la realización de dos eventos. Un diputado local tiene derecho a gastos médicos de primer nivel y su fondo de retiro va de $200 a $300 mil pesos.

Unos días después de mi encuentro con Sofía, Vianey, encargada de prensa, consiguió una entrevista con la periodista mexicana Denise Mearker en *Radio Fórmula*. Denise tuvo la espléndida idea de realizar un cuestionario que incluía un número de compromisos dirigidos especialmente a los candidatos a diputados federales y locales. Este acuerdo era complemento de la convocatoria nacional que había lanzado la organización México SOS el 15 de junio de 2009, encabezado por Alejandro Martí, espléndido y comprometido ciudadano, cuyo hijo de 14 años fue secuestrado y 53 días después asesinado y abandonado en la cajuela de un auto Corsa el 5 de junio de 2008. He aquí las seis propuestas:

1. Ampliar los espacios de participación ciudadana en elecciones locales y federales, promoviendo —como de hecho está en mi propuesta legislativa— una iniciativa que permita a los ciudadanos participar de manera amplia sin la necesidad de estar tutelados por ningún instituto político, de los que la ciudadanía está desencantada.

2. Impulsar desde la Cámara de Diputados las iniciativas actuales que proponen solucionar el problema de la implementación del Servicio Civil de Carrera en todos los órdenes de gobierno, sobre todo porque sabemos que esto ayudaría a solucionar los problemas del gasto público excesivo en el funcionamiento de los mandos altos y medios y porque solucionaría también gran parte de la problemática de ejercicio de la función pública al garantizar que quienes la ejerzan sean individuos preparados en la materia en la que desarrollan su desempeño profesional.

3. Proponer y respaldar como diputada una reforma política que asegure la participación ciudadana efectiva y sin topes de ninguna índole. Hacer efectiva la revocación de mandato y medios de decisión ciudadana real (Referendo y Plebiscito).

4. Asegurar en otra iniciativa de ley que la participación ciudadana se haga efectiva sin la necesidad de tener a los partidos políticos como vehículo de la participación. Es decir, en consonancia con las figuras de Referendo y Plebiscito, me propongo trasladar a la normatividad legal que la iniciativa ciudadana sea garante de la participación de la sociedad.

5. Promover una verdadera reforma política que posibilite la homologación de los periodos de gobierno de diputados, presidentes municipales y delegados políticos en el Distrito Federal. La reelección —limitada a un periodo más— de estos cargos posibilitaría que los periodos de gobierno se homologaran y el trabajo entre todos los órdenes de gobierno fuera constante y coordinado. Esta propuesta —que es el centro de mi plataforma— está encaminada a asegurar que la ciudadanía ejerza su derecho a votar como un arma en su defensa, premiando o castigando a sus representantes populares.

6. En consecuencia con mi anterior propuesta de reforma política, para mí es muy importante proponer la limitación a dos senadores por entidad federativa y la eliminación o cuando menos la disminución importante del número de legisladores plurinominales en ambas cámaras.

Me comprometí a cumplir todos estos puntos, incluyendo uno que no se mencionaba en el documento: la reducción de mi salario al 50%, en caso de llegar al Congreso. Esta iniciativa ya la había tomado en una de las reuniones que había tenido con una asociación de vecinos muy importante llamada UNICO (Unión de vecinos de colonias de la delegación Miguel Hidalgo). Esta agrupación es también una red autónoma abierta, horizontal, que lucha por una vida digna y sustentable. Sus miembros pueden pertenecer a un conjunto diverso de organizaciones políticas, sociales, académicas y económicas. Este grupo, encabezado por el luchador social de izquierda de la Colonia Irrigación, señor Tzin Tzun Carranza, se reúne, desde hace muchos años con vecinos de más de 30 colonias preocupados por la ecología, uso de suelo, el abuso de los permisos para construir y la participación ciudadana. Uno de sus objetivos es precisamente que esta participación se eleve a rango constitucional. Las veces que tuve la oportunidad de intercambiar estas preocupaciones con la familia Carranza, y de dialogar con su agrupación, me di cuenta de cuán útil es UNICO, especialmente en la Delegación Miguel Hidalgo, en donde se cometen tantos atropellos respecto a los permisos de construcción.

En una de esas reuniones, y despúes haber firmado un cuestionario que incluía los problemas básicos de la demarcación —uso de suelo, incremento del parque vehicular, escasez de agua y seguridad—, frente a un público muy nutrido, me comprometí a algo que nunca imaginé que haría. Recuerdo muy bien que mientras la hija del señor Carranza, Ireri, leía el documento, hizo hincapié en el siguiente párrafo: "Actualmente las cámaras cuentan con un gran número de diputados y senadores con exorbitantes sueldos, desproporcionados respecto de las condiciones económicas del país.

Planteamos: hay que pugnar por disminuir el número de diputados y senadores y que sus salarios sean reducidos en un 30 o 40% para asignarlos al servicio público y social. ¿Estaría usted dispuesta a apoyar en la Cámara esta iniciativa?"

Al escuchar lo anterior me paralicé. Sentí que Ireri me estaba mandando una indirecta bien directa. No era para menos, la iniciativa que me pedían que apoyara al llegar a la Cámara era una demanda no sólo de parte de UNICO, sino de toda una ciudadanía harta de conocer los salarios que ganan y los privilegios adicionales de que gozan los legisladores del Congreso. Es evidente que se trata de un clamor y de una enorme deuda que tiene la clase política con la sociedad mexicana. Entonces, de manera espontánea, cuando Ireri terminó de leer tomé la palabra y dije: "Me comprometo a ceder el 40% de mi salario para que se aplique en programas sociales a través de organizaciones ciudadanas y vecinales".

Estoy consciente que yo no era la única del PRD que se comprometía con esta iniciativa. También estoy consciente que puede parecer una medida populista y demagoga, sin embargo, en esos momentos fui sincera. Llevaba semanas de campaña en las colonias populares viendo una desigualdad apabullante, escuchando una enorme cantidad de demandas. Pero por otro lado me preguntaba, ¿qué aportaría la mitad de un salario? Cuando se lo comenté a Sofía, me dijo: "¿Quién te va a creer que te vas a bajar realmente la mitad de tu sueldo y de cuál de todos ellos? ¿Quién te crees, la madre Teresa o qué? Y todo para que voten por ti. Así, tú también de alguna manera estás comprando el voto. Si ganas, lo cual no creo, estoy segura de que cuando te entreguen tu primer chequecito se te va a olvidar tu compromiso y corriendo te vas a ir a *Sak's*".

La fórmula mágica

En 1959 se empezó a emplear en Europa, particularmente en Suiza, el concepto de fórmula mágica. Esta "fórmula" tenía como objeto repartir los siete asientos ejecutivos del Consejo Federal entre los cuatro principales partidos gobernantes. Más que una ley oficial, la "fórmula mágica" era una coalición entre cuatro partidos.

La idea de llamarnos la "fórmula mágica" a los que contendíamos para puestos de elección locales y federales, era potenciar el beneficio de un grupo que trabajaba junto desde la campaña; sería "mágico" como solución a los problemas de los distritos 9 y 14 local y 10 federal. De allí que a partir de principios de junio hiciéramos campaña juntos: Víctor Romo y Gerardo Zapata, que eran candidatos para la Asamblea, y Ana Gabriela Guevara, como candidata a la Delegación Miguel Hidalgo y yo, como candidata para diputada federal, por el PRD. Es importante mencionar que los aspirantes federales no teníamos derecho a hacer coalición, como sí lo tenían los locales con el PT y Convergencia. (La imposibilidad legal de hacer coalición con los otros partidos de izquierda, sumada a la confusión que generó la disputa electoral en Iztapalapa, fue un impacto que golpeó en la estructura de mi estrategia electoral. Como ya lo mencionamos anteriormente, "el efecto Juanito" echó por tierra lo que se había logrado en mes y medio de campaña. Éste fue un "efecto" en contra de todos los candidatos perredistas a la Delegación Miguel Hidalgo. Ya no había ni tiempo ni capacidad para remontar lo perdido.)

Juntos elaboramos, integrados como la "fórmula mágica", lo que llamamos una "ruta de método", ideada especialmente a partir del arranque de la campaña de los cuatro. Los otros dos compañeros que contendían también por el PRD, Raúl Flores, candidato para Jefe Delegacional de Coyoacán —quien siempre se mantuvo a la cabeza de la lista de las preferencias electorales—, Vidal Llerenas Morales, un joven político muy inteligente, quien por cierto ganó la diputación federal para el Distrito VIII, obsesionado por impulsar una Ley de Participación Ciudadana, se concentraron en sus propias campañas.

Ruta de método a partir del arranque de campaña
México, D.F. 2 de mayo 2009

Conformar un equipo de entre tres y cinco personas que tengan las siguientes características:
• Que sepan investigar.
• Que escriban bien.
• Que tengan nociones del discurso político.
• Y que conozcan la Delegación.
De preferencia que representen los tres niveles:
• Local
• Federal
• Delegacional
Frases rectoras
Nivel 1. Las tres frases rectoras: Seguridad, Equidad, Salud. A estas frases desarrollar los contenidos.
Criterio: No deben exceder de una tarjeta media carta.
Nivel 2. Necesitamos desarrollar las frases rectoras. Por ejemplo: "Ahora sí escucho tu voz" (eslogan que fue utilizado en la campaña de Gerardo Zapata).
Temas más importantes que aparecerán en los medios y recorridos:
Sugerencia técnica: que no exceda de 25 tarjetas (25 temas máximo). (Tarjeta media carta).
Tercer elemento: "¿Quién soy?" (en media tarjeta) de preferencia en frases cortas y fuertes.
Agenda: En la agenda necesitamos un cronograma de las actividades mediáticas y presenciales de los primeros diez días, en donde se describirá qué es lo que vamos a hacer en materia de publicidad, uso y manejo de medios directos o alternativos y en dónde está el mensaje de arranque (Fase 1: ¿qué se va a decir?)
Una campaña se maneja en tres fases: ¿Quién soy? ¿Qué propongo? Invitación al voto.
Plan de entrevistas de medios con base en los acuerdos que se tengan (agendarlas en función del tema de contingencia).
Definir eventos y reuniones de alto impacto. Esto significa los que sean noticiosos.

Definir una posición en torno a los debates: los mediáticos y el debate formal, el que podría organizar el IFE.

Fortalezas y debilidades

No solamente con candidatos sino con partidos. Hacer este ejercicio para hacer contenidos.

Definición de candidatos antagónicos. ¿Quién va atacar a los panistas?

Contenidos

Las respuestas mediáticas y las respuestas para eventos presenciales. Éstos a su vez los vamos a plantear en dos niveles.

Las respuestas que vamos a dar a grupos socioeconómicos: A, B, C, mujeres, personas de la tercera edad, con capacidades diferentes.

Mensaje por zona geográfica.

Estos contenidos los vamos a definir en función de tres tipos:

Mensajes de contienda: puntos de ataque y puntos de reacción (por dónde nos van a pegar)

Contenidos de contraste o diferenciadores: los argumentos de equipo (menciones entre nosotros, ¿qué conviene decir?)

Modelo de las tarjetas: Tanto en propuesta como en reacción y ataque, las tarjetas deben tener tres elementos:

a) Pronósticos. ¿En dónde estamos hoy?

b) Propuesta concreta.

c) El remate diferenciador. "Yo sí digo la verdad… yo sí…"

Es importante que las tarjetas contengan datos duros, frases emocionales: hablar de felicidad, de esperanza, ser optimistas, de futuro, etcétera.

Eran de llamar la atención la armonía y el buen entendimiento que de inmediato se dio entre los cuatro candidatos, aunque no faltaban algunas inconformidades por la forma en que nos sentíamos con respecto a los apoyos. Además de nuestro buen entendimiento, teníamos claro que la estrategia que nos podía dar buenos resultados era proyectar una imagen de unidad y de buen equipo de trabajo. Una imagen que desafortunadamente no tiene el PRD.

De Ana Gabriela Guevara, con quien de inmediato asumí que tenía que estar muy unida, sabía muchas cosas antes de conocerla. Sabía que era campeona de los 400 metros, recorridos en tan sólo

49.90 segundos, lo que le valió el premio de la final del *Grand Prix* de Atletismo en París. Sabía que su profesión de atleta requería de muchísima disciplina y que por lo mismo llevaba años practicando sin cejar. Sabía que uno de sus objetivos profesionales era hacer quedar bien al país. De hecho, siempre se refería a ello en sus discursos de campaña: "México es el país por el que estoy aquí. Ser mexicana implica el orgullo de haber sido su representante en las carreras en que he competido". Sabía que para ella correr y triunfar por México, además de disfrutarlo, le confirmaba la satisfacción de sentirse libre. Libre externa e internamente. Libre por haber elegido, con carácter y voluntad, el ser una triunfadora. Libre porque le gustaba lo que hacía. Ahora, esta gran corredora sonorense de 32 años había elegido, libremente, ser candidata para una delegación muy competida, la cual nunca había ganado el PRD.

Víctor Hugo Romo Guerra, también de 32 años, diputado local por la V Legislatura, es hijo del que fuera presidente municipal de Ciudad Hidalgo, en Michoacán; sin embargo, en todos de sus discursos mencionaba a doña Isa Guerra Díaz, como una madre soltera que siempre se sacrificó para que su hijo estudiara Economía y se convirtiera en profesor de Finanzas Públicas del Politécnico. Quien le metió el gusanito de la política fue su abuelo materno, secretario particular de Fidel Velázquez en la CTM, un sindicalista con convicciones fuertes y experto en Derecho Laboral.

Lo que más me gustaba de Víctor era su enorme capacidad de trabajo; nunca faltaba a las asambleas, siempre les hablaba a los vecinos desde el fondo de su corazón; era muy eficiente en sus tiempos para atender cada compromiso. A todos los vecinos de las colonias populares les proyectaba cercanía, pero sobre todo los escuchaba con un gran sentido solidario. Con él fui a colonias como Tlaxpana (la más pobre), Granada, Huichapan, Huasteca, Ampliación Popo, Ahuehuetes Anáhuac, Agricultura, Retorno de Bezares, Ventura Pérez de Alba, etcétera. Con él visité una infinidad de mercados, de parques y de vecindades de alta marginación. Gracias a él me sensibilicé con muchas necesidades sociales. A donde llegaba lo recibían con los brazos abiertos, seguramente debido a que la campaña interna en la que participó fue muy exitosa. No me sorprende, entonces, que Víctor Romo haya sido el candidato con mayor votación de toda la Ciudad de México: en total obtuvo 32,266 votos. Por último, diré que Víctor, además de tener una sonrisa de actor de cine (Clark Gable), cuenta con un carisma impresionante, de ahí su éxito con las ciudadanas de no importa qué edad. En estas visitas y asambleas aprovechaba para recordarles a los vecinos los problemas económicos de la Delegación a raíz de la crisis. He aquí los tres argumentos que procuraba mencionar:

- El Producto Interno Bruto de la Delegación representa el 25% (335 mil millones de pesos) de la economía de la Ciudad de México. Sin embargo, es una delegación sumamente desigual ya que más de la mitad de la población sufre de algún grado de pobreza; la gran mayoría de la riqueza se concentra en menos de una tercera parte de la población.
- Adicionalmente, puesto que es un Delegación con fuerte vinculación económica con la dinámica nacional y de la ciudad, será de las principales afectadas por la crisis económica nacional y por la reciente disminución de la actividad económica necesaria para controlar la influenza. Solamente en este último caso, en la Delegación se perdieron más de 3,500 millones de pesos dañando la economía de más de 19,500 familias.
- Orientaré mi trabajo legislativo a disminuir las desigualdades de mis representados y en apoyar la reactivación económica.

Gerardo Zapata, candidato a ocupar la diputación del Distrito XIV de la Asamblea Legislativa se cuece aparte. Es un ciudadano convencidísimo de la participación ciudadana. Algo me dice que desde que se despierta hasta que se acuesta piensa en ella, como si fuera parte de su vida. Durante los recorridos que hacíamos juntos, una de las primeras propuestas que decía que presentaría como legislador era la construcción de una preparatoria en la zona de Constituyentes-Observatorio. Gerardo conocía perfectamente bien su distrito. Hay que decir que además de haber sido representante vecinal en seguridad pública, giros mercantiles y obras ante la Delegación Cuauhtémoc, así como coordinador vecinal también por elección popular —creó junto con otros coordinadores el Frente Unido de Comités Vecinales de Roma-Condesa—, ocupó el cargo de Subdelegado territorial en Roma-Condesa de la Delegación Cuauhtémoc. Fue, asimismo, asesor de la jefatura de la delegación en Cuauhtémoc y Director de Comunicación Social de la misma dependencia.

Siempre me impresionó la gran vocación de servicio y la espléndida memoria de Gerardo. Así como no se olvidaba de todas las demandas de los vecinos, tampoco olvidaba los datos duros, información e historia de la Delegación Miguel Hidalgo.

Me temo que nuestro Partido no le sacó provecho a este maravilloso candidato tan generoso y comprometido. Me temo que no se dio la relación idónea, pero lo que más temo es que Gerardo haya quedado lastimado por malos entendidos y falta de comunicación.

Sin duda, lo mejor de Gerardo Zapata era su suplente, Trinidad Belaunzarán, presidenta de la asociación ciudadana más representativa Salvo Lomas, AC. Trini, como todo el mundo le dice de cariño, es una gran ciudadana, valiente, comprometida, oportuna y muy solidaria con las causas menos escuchadas de las Lomas y también de Polanco. En 2007 su prestigio creció enormemente entre los vecinos de las Lomas ya que encabezó la marcha contra la Torre del Bicentenario. En junio de 2008, fue agredida por unos supuestos vecinos de las colonias Gabriel Hernández, Américas y Pensil, después de haber marchado en una manifestación vecinal en Paseo de la Reforma y Palmas, para participarles a los vecinos de los daños ambientales y conflictos que causaría la construcción de los seis pasos a desnivel en estas avenidas que proyectaba construir la Delegación Miguel Hidalgo.

He aquí un desplegado publicado por varios grupos ciudadanos que protestaban por las agresiones que había recibido Trinidad Belaunzarán:

REPROBAMOS MUCHO LA AGRESIÓN A TRINIDAD BELAUNZARÁN
Viernes 27 de junio de 2008

Reprobamos mucho la agresión sufrida en su domicilio por nuestra amiga Trinidad Belaunzarán de la Asociación Salvo Lomas, a manos de unos supuestos vecinos de las colonias Gabriel Hernández, Américas y Pensil, luego de haber participado en una manifestación vecinal en Paseo de la Reforma y Palmas, para informar a los vecinos de los daños ambientales y conflictos que generaría la construcción de los seis pasos a desnivel en estas avenidas que proyecta construir la Jefa Delegacional en Miguel Hidalgo. Rechazamos totalmente este tipo de agresiones que tienen un oscuro origen, contrario a la Libertad de Reunión con objeto lícito. Exigimos una investigación a fondo sobre este incidente y nos solidarizamos con la causa de Trinidad Belaunzarán y los vecinos que se oponen a la construcción de estas obras que sólo favorecen un mayor uso del automóvil.

En algunos casos, la "fórmula mágica" fue muy eficaz, pero en otros, como en las Lomas, Polanco, Lomas Virreyes y Anzures, nunca prendió. No había empatía. Su aversión por nuestro partido era superior al disgusto que podían sentir por una mala administración panista.

¡¡¡Va de nuez!!!

Date: Fri, 1 junio 2009 20:27:56 –0500
Subject: Fwd: FW: Presentación encuesta Dto. X

Ma,

Leí rápidamente la encuesta que me pareció muy interesante y bien hecha. Creo que puede ser interesante que le pidas a la agencia un corte demográfico en las preguntas más importantes: partido, GL *vs.* la panista y preocupaciones. Esto te puede ayudar a ver si hay diferencias por sexo, edad o NSE, para que ataques los grupos más propicios a cambiar de opinión o favorables a tu imagen.

Varios puntos me llamaron la atención:

1. Los negativos de la panista no son tan fuertes como esperaba, incluso en preguntas muy obvias como la de talar árboles.

2. La gente de la MH quiere un cambio, no sabe a qué pero no se quiere quedar igual.

3. Domina una preocupación sobre todas y es la seguridad.

4. Prácticamente no tienes negativos.

5. Si se mantiene el *status quo* la panista gana la elección.

Pensando en voz alta:

1. Por no ser política, eres la persona que se puede apropiar del tema de cambio (*Change we can believe in*). Me parece que por tus fuertes positivos y el hambre de optimismo que hoy, 1 de mayo existe en México, un discurso de esperanza tiene potencial si lo acompañas con ideas buenas y ataques certeros.

2. Creo que necesitas una propuesta audaz e inteligente para solucionar el tema de la seguridad y que sea fácil de entender y comunicar. Creo que necesitas asociarte con personalidades u organizaciones que te den credibilidad en este sentido. Martí, si es que no es muy panista, o alguien así.

3. Tienes que aumentar los negativos de la panista con información (mostrar fotos de Ferrocarril de Cuernavaca, darle la palabra a especialistas en su contra) movimientos independientes (La panista es un peligro para México, AC) asociándola a la Maestra (es claramente radioactiva, según la encuesta y creo que mordería el anzuelo rapidito). Esto no lo puedes hacer tú... tiene que ser alguien independiente.

Al arranque de la campaña para elegir al candidato demócrata en EEUU, Obama estaba detrás 20 puntos en las encuestas... Clinton prometió experiencia, Obama cambio y esperanza... Lee sus discursos. No hay mejor campaña política en los últimos tiempos.

Un beso, Federico.

Cuánta razón tenía Federico al advertirme que en la Miguel Hidalgo la mayor preocupación era la inseguridad. De hecho, siempre fue una de mis tres propuestas. ¿Por qué? Porque:

- La delegación Miguel Hidalgo es la tercera más insegura de la ciudad. Ocupó el tercer lugar en número de denuncias (34) presentadas por cada mil habitantes (tasa delictiva).
- El 95% de los vecinos considera que en sus colonias existe un serio problema de seguridad y el 50% lo considera el principal problema en su colonia.
- Más del 65% de las mujeres mayores de 15 años han sufrido algún tipo de violencia. La más frecuente es la de la última pareja o esposo, que es declarada hasta por el 45% de las mujeres. Mi intención es apoyar a las mujeres para que recuperen su independencia económica y facilitarles la decisión de alejarse de sus victimarios.

Ale y el equipo de campaña

Cuando la conocí hace tres años, me impactó su personalidad. Lo primero que me llamó la atención fue su sonrisa enmarcada por una abundante cantidad de chinos. Nos saludamos como si nos hubiéramos conocido de toda la vida. De inmediato hicimos química. A pesar de que podría ser mi hija, me gustó que me hablara de tú con absoluta naturalidad, pero con un tono respetuoso.

Aunque Alejandra Frausto, egresada de la Facultad de Derecho de la UNAM, tenía una trayectoria muy rica en el ámbito cultural, se me ocurrió invitarla en primer lugar porque es una mujer de izquierda; en segundo, por su experiencia en planificar actividades de todo tipo; además, cuenta con muchísimas relaciones entre intelectuales, políticos, artistas, escritores y líderes sociales. Alejandra pertenece a una generación que ha sabido encontrar su vocación ya sea en las letras, en la política o en el mundo artístico: todos sus amigos y amigas son tan brillantes como ella. Y en tercer y último lugar, la invité porque es una joven muy inteligente con mucho sentido del humor.

Cuando empecé la campaña, Ale coordinaba los festivales culturales en las zonas marginadas de la Ciudad de México. No obstante, me atreví a invitarla porque estaba segura de que me coordinaría perfectamente con ella. Además de llevarnos muy bien, coincidimos en algo fundamental: México necesita ser más justo.

Después de haber sido asesora política y social, Ale se convirtió en la coordinadora de la campaña. Aunque nunca había hecho una campaña, sin duda tenía todos los tamaños para coordinar un equipo y organizar una agenda. Además, otra de sus misiones sería estar cerca de mí. "Siempre tienes que tener a alguien de confianza a tu lado", me decía. Pero lo que no se imaginaba Ale era que trabajaría intensamente, con muy poquitos recursos y bajo una presión extrema.

Ale se tenía que encargar de todo: de las citas, los recorridos, la avanzada, de que ésta tuviera sus tres comidas garantizadas, de la propaganda, de vestir el lugar que visitaríamos, del contacto con los líderes, de abrir espacios en los medios, y para todo ello conseguir dinero para pagar desde la gasolina, la peinadora de la candidata, hasta los celulares de los del equipo que triplicaron el uso cotidiano.

"Lo más interesante de la agenda de la campaña", dice Ale, "era equilibrar el tiempo de la candidata entre los dos mundos que nunca se tocan, es decir, la zona más privilegiada y las tantas zonas populares del Distrito X que son un espejo del país. El valor de la candidata era que ella, sin proponérselo y con toda autenticidad, representaba un puente entre estos dos mundos. Respecto a la propaganda, una de las formas de hacer campaña que no era tradicional fue el acercamiento que tenía la candidata como escritora ante los votantes. El acercamiento personal en cada una de las dedicatorias que les escribía en su libro *Voto, luego existo*, quedaba en las casas de los votantes, aun después de la elección. Ella no llegaba sólo a repartir gorras, plumas y camisetas, sino que se sentaba a firmar cada uno de los ejemplares que regalaba."

Lo que Ale no cuenta es cómo nos divertimos durante la campaña. Pasábamos de la desesperación a la carcajada. Mientras ella manejaba y se perdía entre los lagos de la Anáhuac, la candidata sufría porque había un retraso de dos horas. "¡Qué femenina eres!", le decía la candidata a punto de estrangularla. Pero Ale no hacía caso, ella manejaba al mismo tiempo que hablaba por teléfono: "*Arthur*, vamos en Marina Nacional, hemos pasado muchos puentes y prácticamente todas las laterales, ¿dónde me salgo?", le preguntaba a Arturo Hernández. Pero no nada más le hablaba al chofer de la brigada y avanzada más generoso y solidario de todas las campañas del mundo, sino que inmediatamente después le llamaba a Vianey para saber a qué horas era la entrevista acordada para ese día.

He aquí la descripción de cualquier día de campaña coordinada por Ale.

5:00 A.M.

—Oiga Arturo [Mendoza], estoy en la puerta de la casa de la candidata. ¿Ya está colgada la propaganda junto a la lechería del deportivo Pavón? ¿Ya está colocada la mesa para la firma de libros de la candidata? ¿No hay otro candidato por allí? Ya vamos para allá. ¿Por dónde salgo para no perderme?

8:00 A.M.

—Guadalupe, ya nos tenemos que ir porque van a llegar los niños a la escuela y tenemos que llegar a la hora de la entrada para distribuirle los libros a sus papás —me decía Ale, siempre con una sonrisa de oreja a oreja. Entonces yo le preguntaba: "Alesita, ¿sabes por dónde irte?" "No te preocupes, vamos detrás de la avanzada", decía para de inmediato hablar por su celular cubierto por un plástico fosforescente bastante extraño. "Carmen [Carmen Cárdenas responsable de la logística], ¿ya están listas las bolsitas de dulces nutritivos? ¿Están amarradas con su pulserita? ¿Hay suficientes volantes? ¿Ya llegó la brigada?"

9:00 A.M.

—Arturo, adelántate con Oviedo [apoyo de logística] a vestir el siguiente punto. Allí van a estar esperando la avanzada de Romo y de Ana Gabriela. Fíjate que sean las lonas que tienen la foto de la candidata con las jacarandas. Avísame cuando estén listos. ¿Ya repasaste el recorrido del día con Ernesto Rojas? Al rato te doy lo de las comidas y lo que te debo de ayer.

10:00 A.M.

—¿Qué te parece, Guadalupe, si vamos a desayunar a *Klein's*? No te olvides que dentro de 15 minutos te va a hablar Javier Solórzano. Acuérdate de que en la tarde tenemos reunión en las Lomas y asamblea en La Granada. Me llamó Nesly Cohen para decirme que está organizando una reunión con la comunidad judía y que nos invita como todos los viernes a comer a su casa porque van a ir sus hijos. Le voy a hablar a Vianey para ver si hay maquillista en el canal 40, o nosotras la llevamos.

10:45 A.M.

—Qué pena, Guadalupe, pero ya nos tenemos que ir al evento de Legaria. Van Víctor Romo y Ana Gabriela. Como será un evento con mujeres, puedes hablar de sus derechos o bien de la salud. No vayas a decir groserías, tipo "¡a huevo! o "¡ya chingamos!" porque ya ves que unas señoras se quejaron en Tacuba. Déjame ver si Mary ya tiene el discurso para la reunión de Polanco en casa de Margarita González Gamio.

Si no hablaba, Ale, se ponía a escribir desde su celular el vigésimo recado de la mañana. Ah, cómo escribía mensajitos y mensajitos, todos naturalmente relacionados con la campaña. Primero uno, y luego otro. Lo hacía con tal rapidez y con tal pericia que no dejaba de sorprenderme. Al hacerlo, estaba segura de que se estaba poniendo de acuerdo con Edna o con Alma Rosa para un recorrido al día siguiente en Torre Blanca.

12:30 P.M.

—Claudita [Ojesto, súper secretaria particular de la candidata, eficiente, siempre amable, solidaria y muy educada], ¿cuántas confirmaciones tenemos para la reunión de la noche? Dile por favor a Ernesto [Rojas, chofer de la candidata, servicial, atento y muy discreto] que vaya armando las bolsas amarillas con libros y las propuestas. Manda a Margarita González Gamio una flores muy lindas.

Te voy a pasar a Guadalupe para que actualices el Twitter y el Facebook. Ahorita vamos a la entrevista con el doctor Ernesto Lammoglia hasta avenida Coyoacán. Apunta por favor para mañana una cita con Valente Souza quien va a asesorar sobre el tema del agua.

2:00 P.M.

—Guadalupe, acuérdate de que tenemos cita para comer en la *Casa Portuguesa* con José Saucedo, porque nos va a ayudar con tu papelería y un evento en las Lomas. Después de comer tenemos que ir de vuelta al sur para la grabación de *Shalalá* en el Canal 40. Le voy a hablar a Mario Alberto [Pérez, excelente productor de videos. Alberto Pérez realizó más de 40 videos de toda la campaña. Igualmente compuso dos excelentes *gingles* que se utilizaban constantemente en las avanzadas y recorridos] para que no se le olvide llevar el video de los mercados a la reunión de la noche. Afortunadamente nos pospusieron la reunión de las Lomas para pasado mañana. Qué bueno porque ya no teníamos tiempo.

4:30 P.M.

—Buenas tardes señorita. Habla Alejandra Frausto, le llamo para decirle que el periférico está muy congestionado pero que ya vamos para allá con la candidata. Le puede por favor avisar a la señora Sabina Berman y a Katia D'Artigues que no tardamos... Ya les avisé, Guadalupe. Oye, ¿por qué no le hablamos a Miguel Rodarte para confirmar el recorrido de mañana en el Parque de los Espejos? Acuérdate de que Miguel es el actor que hizo El Tigre de Santa Julia, un personaje que nació en Tacubaya. Por cierto, cuando estábamos comiendo con José Saucedo te hablaron Eduardo Farah, tu hija Lolita, tu hermana Antonia, Diego y Adriana Luna Parra para confirmar su asistencia al coctel de mañana.

7:00 P.M.

—Guadalupe, dice Carlita [Barba, contadora de la campaña] que todo va muy bien con lo de la auditoría, aunque seguramente Esme [Esmeralda Barba, asistente del suplente] y ella no dormirán esta noche. Ahorita nos vamos a la firma de libros en San Miguel Chapultepec porque a las 8:00 p.m. a más tardar tenemos que estar en casa de Margarita.

12:00 A.M.

—Guadalupe, acuérdate de que dentro de unas horas llega a peinarte Leo. Te marca a tu celular para no despertar a Enrique. Después, paso por ti para ir la colonia Reforma Social. De ahí nos vamos a Cien Casitas. A las 11:00 a.m. tenemos recorrido con Hilda Baena en la Anáhuac. Comida con los restauranteros de Polanco. Vamos a comer con Laura León, *la Tesorito*. En la tarde tenemos dos asambleas con todos los candidatos y la entrevista en el Claustro con Ricardo Raphael. En la noche tenemos el coctel de Héctor Vasconcelos. Parece que tuvo muchísimas cancelaciones. No me sorprende. Te juro que mañana te guardo una hora para que veas a tus nietos. Ya me di cuenta de que es con lo único que te relajas. Cuando estás con ellos se te olvida que estás en campaña.

¡¡¡Lupita, Lupita, Lupita!!!

De todos los recorridos que hacía durante la campaña, los que más disfrutaba eran los de los mercados. Este gusto, seguramente, lo heredé de mi madre. ¡Cuántas veces la acompañé a los mercados de La Viga, Sonora, la Merced, Juárez, o al de San Juan, sin olvidar el de Río Lerma! Todavía la veo, seguida de un niño no mayor de diez años, llevándole una enorme canasta en donde doña Lola iba colocando su mandado. Todavía la veo probando, gustosísima, ya una granada china, o una tuna recién peladita. Ver a mi madre deleitarse con una rebanada de sandía, de chicozapote o de piña resultaba todo un espectáculo. Lo hacía con tal placer y entusiasmo que, sin saberlo, en esos momentos se convertía en una perfecta anunciante del marchante del puesto de fruta. Cuando los clientes pasaban a su lado y la veían en ese estado éxtasis, se detenían y no faltaba el que de inmediato se animara a comprar un kilito de alguna fruta.

Aún resuena en mis oídos uno de los tantos diálogos que escuché entre ella y su marchanta de toda la vida del mercado de la colonia Juárez:

—¿A cómo las calabacitas?

—Por ser para usted, se las voy a dejar a 80 centavos el kilo.

—Ay, marchanta, está carísima.

—Ay, Lolita, no más dígame qué es lo que no está caro.

—Y esas calabacitas que están allá en ese huacal ya muy magulladitas, ¿a cómo me las deja? No me importa que no estén muy frescas, las quiero para hacer una sopa con elotitos y rajas de chile poblano.

—Ésas, *pa'* que vea, se las dejo a 40 centavos.

—Está bien, deme dos kilos; dos elotes, tres chiles no muy grandes y dos ajos.

Todo esto lo decía mi madre mientras evaluaba la calidad de unos jitomates o de unos aguacates. Lo que me llamaba la atención era que al puesto al que iba, puesto en el que comía lo que le ofrecieran: cacahuates, un pedacito de membrillate, queso fresco, crema recién traída de Oaxaca, tostadas, aceitunas, pasitas, un camaroncito y hasta chicharrón en salsa verde, acompañado de una tortilla bien calientita. Cuando terminaba su mandado, detrás de ella ya no iba un pequeño ayudante sino ¡¡¡dos!!!: el primero, llevaba a duras penas la canasta pletórica de comida, flores y hasta trapos de cocina y el segundo las manos llenas de bolsas de plástico. Como ella decía: "Un mercado es lo contrario de un cementerio".

Bien dice el refrán que "hijo de tigre, pintito"; nada más pasar las puertas de cualquier mercado y me transformo en mamá Lola, como le decían sus nietos. Sí, nada más que su hija, en la época de la campaña, tenía un extra, era candidata a una diputación. ¡Qué intensa resultaba la mezcla de los dos roles! Por una parte disfrutaba por el solo hecho de encontrarme en un mercado, y por la otra, llevaba una misión acompañada por un ejército de jóvenes promotores enfundados en sus playeras blancas que decía: "Guadalupe Loaeza, ciudadana de bien", y que en sus brazos y manos llevaban decenas de playeras, bolsas de mercado (súper amarillas) con la leyenda "Por una delegación más sana", folletos, cachuchas, plumas, carteles, e incluso mantas para aquellos marchantes que estuvieran de acuerdo en colgar una en su puesto.

Sabía que los 18 mercados de la Miguel Hidalgo —y las 12 estancias infantiles (CENDIS) que se encuentran en el interior de los mismos—estaban inundados no nada más por cientos de goteras, sino de irregularidades, problemas de protección civil, falta de vigilancia, etcétera. A todos les urge rehabilitación y mantenimiento. Pero sin duda, una de las quejas principales de los locatarios era la competencia desleal de las tiendas de autoservicio construidas a tan sólo unos metros de sus establecimientos. (Me pregunto en qué medida les afectan también los llamados "mercados sobre ruedas".) Hay que decir que entre las acciones que han llevado a cabo está la inclusión en el Código Financiero 2009 del pago de uso de suelo de tres pesos por cada metro cuadrado. Actualmente, ya se cobran agua y luz, que antes no pagaban. Gracias a estos recursos se puede reinvertir en el mantenimiento del propio mercado. En principio también se debería utilizar como inversión la cuota que se cobra por usar los baños: tres pesos. Pero no es así. Una de las quejas recurrentes, especialmente en el mercado de la Escandón, era que la cantidad que se reúne al cabo de dos semanas desaparece en la Delegación. "Ya tiene tiempo que se clavan esta lana. Nosotros, mis hermanos y yo, estamos viendo esto con un abogado. Allí tenemos los papeles con la demanda. A ver si usted como candidata nos puede ayudar, por lo menos denunciando lo que nos pasa", me dijo el dueño de uno de los puestos de carne. Me dio su teléfono, pero por más que lo busqué, jamás lo encontré, por eso no pude hacer la denuncia.

Muchos mercados, incluso los más dinámicos y exitosos, carecen, como me dijo un locatario, de cajones de estacionamiento, no cuentan con zona de carga y descarga, y lo más impresionante, no cuentan con salida de emergencia, requisito básico para Protección Civil. Carecen de un sistema de drenaje, la recolección del agua de los techos drena directamente sobre la calle.

Los únicos tres mercados de la Delegación que conocía eran el del centro comercial de Polanco, el cual me inspiró el libro *Las reinas de Polanco*, el de Monte Athos y el de Prado Norte, a donde solía ir por lo menos una vez a la semana. Cuando me cambié de casa para irme a vivir a la colonia Roma, lo que más extrañaba (y sigo extrañando) son a las marchantas de la verdura y fruta y a la de las flóres. Estando en campaña tuve el privilegio de irlas a visitar, pero ya no como clienta, sino como su candidata, con enormes deseos de ayudarlas. Todos en el mercado me recibieron con mucho afecto, pero ellos también repetían lo que había escuchado centenas de veces por parte de los comerciantes: "Nada más ganan y no regresan". Yo les juraba que sí regresaría y que deberían darme una oportunidad. "Yo sí voy a volver; gane o pierde, les prometo que voy a regresar, aunque sea nada más para hacer mi mercado", les decía con toda la buena voluntad del mundo. Reconozco que no lo he hecho, pero ya habrá oportunidad para hacerlo.

No podría concebir a la Ciudad de México sin sus mercados. Además de ser un lugar de encuentro entre los vecinos y un lugar donde se mantienen nuestras tradiciones, los mercados son sobre todo fuente de trabajo. Cuando me tocaba visitar mercados como el de Argentina, Anáhuac, Lago Garda, Plutarco Díaz Calles, o el 18 de Marzo de la Pensil y los veía prácticamente vacíos, se me encogía el corazón. Mientras caminaba entre puesto y puesto, veía las piñatas colgadas todas empolvadas, las montañas de fresas todas marchitas y las montañas de tomates a punto de pudrirse. Entonces recordaba a mi madre y pensaba en lo lejana que estaba su frase arriba mencionada. Estoy segura de que si ella hubiera visto ese panorama tan desolador, hubiera exclamado: "¡Qué barbaridad, esto no parece un mercado, parece un cementerio!"

Cuando me acercaba a los locatarios, les decía muy despacito mis propuestas: "No les prometo, me comprometo, que al llegar a la Cámara haré todo lo posible para lograr una ley que les permita cobrar con tarjeta de crédito y que los cupones de apoyo económico sean canjeables por víveres comprados en mercados." La mayoría me escuchaba con absoluto escepticismo. No me creían nada. ¡Cuántas veces han de haber escuchado promesas y más promesas de los candidatos, cuántas veces los convencieron de dar su voto y los decepcionaron, y cuántas veces fueron olvidados. "Hoy, llevo vendido $120 pesos", me decían. "Ya nadie viene a los mercados, todas las amas de casa van al súper porque allí hay ofertas", comentaban otras marchantas. "Hay rumores de que van a cerrar el mercado. Eso es lo que me dijeron el otro día. Y, ¿dónde nos vamos a ir?", se quejaban. No sabía qué decirles, seguramente se me notaba ya que a unos días de visitar el mercado de Tacuba, recibí el siguiente correo:

Comulgo con la izquierda, pero Guadalupe, eres una joya, no tienes ni idea de la problemática de los Mercados Públicos. Conocer los Mercados (*sic*) no es conocer la comida típica, ni la cultura. La falta de competitividad es lo que hay que atacar. Prometes fórmulas de gobierno, ojo no vas para delegada, vas para Candidata Federal. Una gran tristeza, me encanta tu pluma, pero en cuestión de legislación me haces ver que no le sabes.

Guillermo Bernal González.

He aquí lo que le contesté a este ciudadano tan perspicaz:

Mi estimado Guillermo:

Tiene usted toda la razón, no obstante no me siento mal por ello, tengo apenas un mes en campaña. Efectivamente, tengo que estudiar aún más la problemática de los mercados. Sé que sus problemas son muy complejos, pero estoy segura de que la Asamblea Legislativa encontrará salidas y soluciones a sus demandas. El candidato Víctor Romo, quien va para diputado local, me ha comentado varias veces su interés por resolver la complicada situación que viven todos los locatarios. Confiemos en la capacidad del futuro diputado y pongamos en sus manos su futuro. Gracias por leerme. Le mando un fuerte abrazo.

Candidata para Diputada Federal de la Miguel Hidalgo. GL.

Algo que no me dejará de llamar la atención es el enorme entusiasmo con que la gente en las colonias populares recibe lo que sea, siempre y cuando sea gratis. Con esa misma voracidad prácticamente se arrebatan desde una camiseta hasta un folletito de propaganda. Y qué decir si se trata de una bolsa de mercado de lona, entonces la rebatiña puede ser avasalladora. "¡¡¡Lupita, Lupita, Lupita…!!!, me gritaban decenas de voces en el oído. Muchas veces, mi brigada se vio en la necesidad de hacerme un círculo de seguridad para evitar que me jalonearan, que me besuquearan, que me abrazaran y que hasta que me arrollaran. "¡¡¡Lupita, Lupita, Lupita!!!" Seguía escuchando sus gritos totalmente aturdida pero con todo el deseo de darles gusto y compartir con ellos esa convivencia. "¡¡¡Una bolsita, una bolsita a mí no me tocó ninguna bolsita!!! ¿Ya no tiene gorras? ¡Lupita, Lupita, Lupita, yo quiero una playera. Fírmeme la gorra, Lupita. ¿No me da una playera para mi marido? ¿No me la va a firmar? Una bolsita, una bolsita; Lupita, Lupita, Lupita, ¿ya no le quedan libros? Una bolsita, una bolsita. A mí no me tocó gorra. Lupita, Lupita, Lupita…"

¿Cómo darle gusto a tantos? ¿Por qué no me dejaban ni siquiera decirles mis propuestas? Lo peor de todo es que reaccionaban igual con el candidato del PRI y con la panista. Era evidente que el partido les daba exactamente igual con tal de recibir cualquier cosa. Confieso que a veces me resultaba muy lastimoso. No me importaba que me empujaran ni que me gritaran justo en el oído, lo que me importaba era que me sintieran cercana y con ganas de ayudarlos. ¡Cuánta necesidad! ¡Cuántas carencias y cuántas privaciones! Si comparamos lo que gana en un mes la mayoría de los mexicanos, $1,644 pesos, con lo que dicen que llegó a costar el voto $1,500 pesos en la Miguel Hidalgo en las elecciones intermedias de 2009, la diferencia es nada más de $144 pesos. ¿Por qué habría, entonces, de sorprendernos la compra de votos? Luego, ¿cómo puede haber democracia en un país donde existen tantas desigualdades, donde se lucra con la pobreza? ¿Cómo podríamos tener elecciones limpias y transparentes si se puede ganar en cinco minutos lo que se trabaja en un mes?

"¡¡¡Lupita, Lupita, Lupita!!!" escucho a veces mientras intento conciliar el sueño por las noches. No, no me he olvidado de los mercados, sobre todo de aquellos que vi tan solitarios, pobres y abandonados por la mano de Dios.

¿¿¿Bolsa Louis Vuitton???

EL UNIVERSAL
Martes 30 de junio de 2009

Guadalupe Loaeza baja de su camioneta de lujo junto a un mercado público de la colonia Tacubaya. Viste como una "reina" de Polanco. Presume entre sus accesorios una bolsa Louis Vuitton color plata que deslumbra con el sol; lentes oscuros y unas finísimas pulseras plateadas.

La escritora está en campaña en busca de una diputación federal por el distrito 10 de Miguel Hidalgo, bajo las siglas del PRD, el mismo distrito en el que compite contra la panista,

He aquí, un pequeño fragmento de la espléndida nota de Alberto Morales respecto de mi primera visita a uno de los mercados más viejos e importantes de la Ciudad de México. La descripción de la candidata no pudo ser más fiel, a tal grado que ni siquiera fue necesario ilustrarla con una fotografía; el retrato hablado fue más que suficiente. No terminaba de leer el reportaje de *El Universal*, cuando de pronto sonó el teléfono: "Le habla la señora Sofía", me anunció Cristi (el verdadero ángel de la guarda de mi casa). De inmediato imaginé el por qué de su llamada:

"¡Qué bueno que todavía no te has ido! ¡Me urgía hablar contigo! ¡Híjole, qué bárbara eres! ¿Cómo que una bolsa Louis Vuitton para ir a los mercados de los barrios populares? Es lo más ridículo que he escuchado en mi vida. Mira, para que no caigas en la tentación de usarla, te sugiero que pase por ella y te la regreso cuando termine tu campaña. ¡La verdad es que sí me das pena ajena! En primer lugar, te la pueden robar en esos barrios tan peligrosos; en segundo, no me parece nada *ad hoc* para una campaña del PRD, y en tercero urge que te cambies de *look*. ¿¿¿No que eres de izquierda??? ¿¿¿No que primero los pobres??? ¿¿¿No que estás con el pueblo??? Por eso te critican tanto, por eso la gente no te toma en serio. Y por eso no te creen. ¿¿¿No te das cuenta de que te has pasado la vida criticando lo que representas??? Es precisamente eso lo que irrita a tus detractores. Más que candidata de tu partido, que no puedo ver ni en pintura, pareces candidata del partido de la maestra o del PRI, porque una panista, tan conservadoras como son, no se atrevería a comprar una bolsa que cuesta más de tres mil dólares. Sí, sí, ya sé que tú no la compraste y que te la regaló Arielle Dombasle, tía de tus hijos. Sí, ya sé que te la dio, porque además de que se la elogiaste mucho el día que se vieron en París, tú en esa ocasión llevabas una bolsa horrible y viejita. Sí, ya sé, porque me lo dijiste, que su tamaño es ideal, grandota y con mucha profundidad, para que puedas meter en ella todas las demandas de los vecinos, cartitas, folletos, grabadora y demás cosas que necesitas en la campaña. Sí, ya sé que ahorita no tienes dinero para comprarte otra que sea tan útil. Si quieres te presto una, tengo muchísimas. Te presto la Ferragamo que es tan grande como la Louis Vuitton. ¿¿¿Por qué mejor no usas un morral, como los que seguramente usan muchas perredistas??? O bien, cómprate una de esas bolsas de mercado con la imagen de la Virgen de Guadalupe, como las que vende Lola Bernal. ¡Tengo una idea! Pídele a Tomás, tu nieto, que te preste una de sus mochilotas. Digo, mientras te compras una bolsa más PRD, como esas que venden de barata en Suburbia. No sé cómo le vas a hacer, pero tienes que cambiarla cuanto antes. Luego te quejas de que te critican tanto. Luego te quejas de que te mandan unos correos súper insultantes. Y luego te quejas de que no te apoyan ni los de tu partido. Perdóname por ser tan dura pero no puedo ser hipócrita. Sí, ya sé que te tienes que ir, pero avísale a Cristi que voy a pasar por tu bolsa. *Please*, no te la vayas a llevar hoy. Bueno, ni para hacer campaña en las Lomas la debes usar. Además de que resultaría de lo más cursi, te apuesto lo que quieras que van a decir que es *fake*, una vil copia de las que fabrican en Taiwán. O bien, van a decir que te la regaló un restaurantero con el que ya hiciste un acuerdo para cuando seas diputada. No, no me cuelgues por favor. Ya te enojaste, ¿verdad? Una cosa nada más. No te puedo hacer el dasayuno que te ofrecí. Mil perdones. Por más que lo he pensado, no puedo. Nada más de acordarme de *you know who* y del plantón de Reforma, y de todo el daño que le ha hecho al país, se me quitan todas las ganas de apoyarte. Por favor no me lo tomes a mal. Si te digo todo esto es porque te quiero y no quiero perder tu amistad. Bueno, ahora sí ya te dejo. Te mando un besote. Y, *please*, no te olvides de mis consejos. Al ratito le hablo a Cristi para ponerme de acuerdo para ir a buscar tu bolsota. Júrame que me la vas a dejar, ¿¿¿Me lo juras???

CORREO ANÓNIMO DE UNA VECINA
Guadalupe,

Sé que eres polémica porque tienes una opinión, y siempre la has tenido. Porque piensas y reflexionas lo que ves a tu derredor y no coincides con lo que los otros perciben. Ves en los detalles la diferencia.

No importa el color ni las siglas del partido lo que importa es tu convicción y tu compromiso con lo demás. Eres valiente porque te resistes a aceptar la opinión general, lo fácil, lo convencional y lo cómodo. Te gustan los riesgos y los desafíos. Eres mujer de palabra y de hechos. Siempre das la cara, tu consigna es: "tomar el toro por los cuernos". Sé, porque leo tus libros y te leo en *Reforma*, que en la soledad de tus pensamientos tomas la fuerza para defender tus ideas, aunque te estrelles luego contra el muro de la ignorancia y de la insensibilidad de mucha gente. Sé que nunca perderás la fuerza, pero sobre todo, el compromiso de destruir los obstáculos y alcanzar tu meta, es decir, beneficiar a las mujeres, a la tercera edad, a los indígenas, a los niños, temas que dices que tanto te apasionan.

Una de las ideas más firmes por las que sé que trabajarás es la participación de la sociedad civil. Tú misma eres un miembro de esa sociedad que sé que te preocupa porque no alcanzamos los cambios que México necesita. Sabes que el tiempo apremia. Por eso pienso que tenemos que tomar hoy, en nuestras manos, la decisión de evolucionar, con tantas cosas que nos están pasando. Quieres tomar esto que nos pasa y que nos une a todos como una lección de vida que nos haga impulsarnos para cambiar las cosas que nos impiden ser mejores. Construir con nuestras manos el México que merecemos. Un México democrático, equitativo, pero sobre todo, justo.

Vas a poner tu energía en sacar adelante la iniciativa para que la pensión para adultos mayores, que hoy sólo beneficia a los que viven en la Ciudad de México, sea un beneficio para todos los que viven a lo largo y ancho de la República Mexicana.

Nos guste o no nos guste, la panista es la candidata de la decepción. Ha desilusionado tanto a los ricos como a los pobres de la Miguel Hidalgo.

Deseo que ganes.

Cordialmente, una vecina de Sotelo.

La "pandilla" de Polanco: los demandados y los no demandados

"Nos vemos en la *Casa Portuguesa*", proponía cada vez que tenía una cita para desayunar o comer, ya fuera con un periodista o un amigo político. Este restaurante de Polanco que se encuentra justo frente al parque de Los Espejos, está especializado en la cocina tradicional portuguesa y es conocido por sus azulejos, pero sobre todo por su espléndida atención. Antes de que comenzara la campaña, la *Casa Portuguesa* se convirtió en mi *cantina,* es decir, en el lugar de encuentro para intercambiar información muy valiosa para mí en esos días. Era allí donde me juntaba con la "pandilla de Polanco", como bauticé al grupo de mis amigos, grupo que se dividía en dos círculos: los demandados por la ex delegada y los no demandados oficialmente, pero que lo más probable era que se encontraran en una lista negra por el solo hecho de inconformarse con los abusos de la Delegación.

Juan Álvarez es el único de los "demandados" que no ha querido tramitar su amparo. "Que me lleven a la cárcel, yo tengo mi conciencia limpia", dice cada vez que le preguntan por su situación jurídica. Eduardo Farah, a quien conocí desde que era adolescente, es director general de la revista *Espejo de Polanco*, autor del libro *Ideología ecológica* y de una novela de ciencia ficción titulada *Adiós Terra*, pero es sobre todo un gran defensor de esta maravillosa colonia. Él sí está amparado: "A mí no me van a meter a la cárcel", comenta desenfadado con esa personalidad suya tan enigmática. Él fue el único que nos prestó sus documentos originales, incluyendo su amparo, para sacarle fotocopias para con este documento seguir armando la carpeta de expedientes que se entregarían a los medios de comunicación. Por lo que toca al presidente de la asociación civil Al Consumidor, Daniel Gershenson (según Mary, el más serio de todos), obsesionado con la ecología, también está demandado, como Juan Carlos Bonet, porque junto con los antes citados, "detuvieron con violencia una obra del gobierno delegacional pero en un lugar federal". He aquí la acusación colectiva.

El segundo círculo, es decir los no demandados, pero activistas de la oposición, son: en primer lugar, el gran diseñador Mikkel Farah, Philippe Bouchard, Fabienne Massart, Gerónimo Saavedra, Daniel Pardo, Mauricio Villegas, Roberto Vidales, Roberto Larrañaga, Denis Stevens e Igor Moreno. Igor es un personaje por sí solo; además de ser un ciudadano en todo el sentido de la palabra, es un hombre sumamente educado, informado, pero sobre todo, responsable. Siempre que nos ofrecía algo para apoyarnos lo cumplía hasta sus últimas consecuencias. Fue tan solidario durante la campaña que constantemente se comunicaba con los miembros del equipo nada más para preguntarnos qué necesitábamos: con esa voluntad ciudadana se mueven montañas.

Nuestra relación empezó a partir de los problemas con los "deprimidos" de Polanco y las Lomas, es decir, desde el 20 de agosto de 2008.

Esa mañana, muchos maestros del Liceo Franco Mexicano que regresaban de vacaciones se dieron cuenta de que el árbol, el enorme y viejísimo fresno (especie protegida) que se encontraba en la glorieta de Ejército Nacional y Ferrocarril de Cuernavaca ya no estaba allí. El árbol había sido derribado como parte del inicio del distribuidor o "deprimido" que las autoridades competentes de la Miguel Hidalgo pretendían construir en esa zona, a pesar de todos los riesgos que este proyecto representaba para Polanco, las Lomas y, en particular, para los 2, 700 niños y 400 maestros y padres de familia del Liceo Franco Mexicano.

El 6 de noviembre de ese mismo año hubo una fuga de mercaptano en la calle de Granada, junto a la General Motors. Éste es el químico que añaden al gas para que huela. Protección Civil y la Delegación no contaba con los elementos ni la información para poder responder ante la situación. En el Liceo fueron evacuadas mil personas, entre alumnos y personal. Esto sucedió a las 5:00 p.m. En Polanco desalojaron oficinas y centros comerciales. La Delegación insistía en que no era peligroso. A partir de todos estos desencuentros y arbitrariedades de la Delegación, pero especialmente desde el enfrentamiento físico que se dio el 14 de febrero de 2009 entre los vecinos (de allí sus demandas) y las autoridades panistas, me acerqué mucho a ellos, escribí sobre ellos, e incluso di la cara por ellos cada vez que los medios me entrevistaban para preguntarme a propósito de la situación de Polanco y las Lomas.

No fue casual, entonces, que ya como candidata los consultara para obtener mayor información acerca de los problemas de Polanco. Por ellos me enteraba de chismes, rumores y especulaciones acerca de la Delegación gobernada por la panista. He aquí los típicos comentarios que solía escuchar constantemente durante la campaña:

"Muchos de nosotros votamos por ella y ahora nos queda un panorama desolador", decía uno de los demandados. "Destruyó la ciclopista y taló una barbaridad de árboles", comentaba otro. "La Delegación está totalmente destrozada", agregaba el más rebelde.

"¿Y qué me dicen de todas las jacarandas que mandó tirar?", opinaba la mayoría. "Ya somos 20 vecinos demandados, por eso decidimos tramitar un amparo para evitar una posible detención", decía el mayor de todos. Sus quejas e inconformidades eran infinitas. Entre ellos reinaba el resentimiento, pero sobre todo la frustración por no haber logrado a lo largo de tres años el menor diálogo con las autoridades panistas.

De todos los personajes de la "pandilla", hay uno que ciertamente se cuece aparte, y que sin duda ocupa un lugar muy importante dentro del grupo, se trata de su "asesor externo"; me refiero a Claude Le Brun, presidente del Patronato del Liceo Franco Mexicano y merecedor de la Condecoración Orden Mexicana del Águila Azteca, Cónsul Honorario de la República de Estonia.

Hablar de la trayectoria de Claude nos llevaría semanas, y quizá hasta meses; tal vez lo mejor sea concentrarse en su muy comprometida actuación durante los momentos más álgidos del conflicto de Ferrocarril de Cuernavaca y la Delegación Miguel Hidalgo. Sin duda fue el más reacio opositor a la construcción del distribuidor vial por representar un riesgo para la población y para los alumnos del Liceo Franco Mexicano. Para él, los alumnos son como sus hijos, a tal grado que durante el conflicto Claude dormía en una tienda de campaña que instaló en el patio del plantel. No quería que enviados de la anterior administración de la Delegación lo sorprendieran, como sucedió cuando el 14 de febrero, a la una de la mañana, la Delegación cercó toda el área verde del camellón, quedando en el interior de la cerca más de 500 metros de ciclo-vía, más de mil metros de pasto y alrededor de 70 bellísimas jacarandas que tardaron 15 años en crecer y que fueron cortadas de un tajo en tan sólo 15 minutos. ¡Cómo las quería Claude!, porque hace muchos años él fue el que las sembró, el que las vio crecer y el que sabía cómo las querían sus alumnos. Por eso, cuando observó a las 8:30 a.m. el enorme cerco de 2.50 metros de altura, su sentimiento de frustración fue tal que no alcanzó a detener a sus vecinos cuando empezó la confrontación física entre ellos y los enviados de la Delegación.

Claude siempre se ha destacado en la comunidad de Polanco por sus ideas propositivas e innovadoras, todas ellas encaminadas al desarrollo de la ecología y la Delegación. Con el apoyo de urbanistas proponía, en lugar de los deprimidos de Ejército Nacional, un proyecto vial que contempla adecuaciones viales superficiales sin excavaciones profundas, solo con vueltas inglesas y sistemas de semaforización inteligente a dos tiempos, para duplicar la capacidad de movimiento vehicular. Esta propuesta alternativa vale diez veces menos que la que planteaba la panista (más de 165 millones de pesos), tardándose cuatro meses en su construcción. "El proyecto tendría cuatro características básicas: la seguridad, que no es negociable; una mejora operativa e integral; que urbanística y ecológicamente no es agresivo; que tiene una programación inteligente y paulatina; y que es de bajo impacto". Otra de las ideas innovadoras que Claude propuso es ya una realidad. Le Brun opina que ante la escasez de agua que vive el Distrito Federal, una de las acciones es prevenir, dándose a la tarea de construir espacios para almacenar agua de lluvia y disminuir el consumo de la red de agua potable. También saludó con entusiasmo el uso de la bicicleta para ir al Liceo, ofreciendo un descuento en las colegiaturas de quienes lo hagan. "Antes eran cinco los que llegaban en bicicleta al Liceo, ahora son como 200 y estamos pensando en aplicar un descuento en las colegiaturas a quienes lleguen en bici", dijo Claude en una entrevista.

Este espíritu solidario y generoso de Claude no es nada más para sus alumnos, sino también para los papás de estos jóvenes. Durante la campaña, el Liceo Franco Mexicano organizó gracias al administrador, Igor Martínez, dos mesas redondas en la gran sala de actos del plantel. En la primera estuvo como invitado Agustín Basave, doctor en Ciencia Política por la Universidad de Oxford, quien de una forma muy sencilla e inteligente explicó por qué era importante votar en las elecciones del 5 de julio:

"Yo quisiera responder a dos preguntas, la primera es ¿por qué hay que votar?

"El sistema electoral mexicano es absoluto, no es relativo, por lo tanto no penaliza la abstención, es decir, les pongo un ejemplo, si en este distrito electoral hubiera 100 mil electores y de esos 100 mil electores 99, 994 se abstuvieran o votaran en blanco o anularan su voto y seis, sólo seis de los 100 mil, votaran por algún candidato: tres lo hicieran por el candidato del PRI, dos por el candidato del PAN y uno por el candidato del PRD, por poner cifras al azar, el candidato del PRI sería diputado federal con todas las de la ley, con tres votos de 100 mil. No hay nada que penalice los números absolutos de la abstención, no sólo eso, sino que los candidatos que obtuvieron dos y un voto, respectivamente, aportarían a sus partidos la cantidad necesaria para tener sus diputados plurinominales y sus prerrogativas de ley, es decir, los subsidios que les da el IFE a los partidos políticos.

"Y la segunda, ¿por qué votar por Guadalupe?

"Yo apoyo a Guadalupe Loaeza porque ella es una constructora de puentes, porque si alguien le ha explicado a lo largo de muchos años a estos mexicanos, a este México que se despega, que tiene ciertas facilidades, que se beneficia de la globalización, si le ha explicado alguien a ese México qué pasa con el otro México, es Guadalupe. Si ha tratado de hacerle entender a este otro México, al México privilegiado lo que pasa con el México desafortunado es ella. Y esos puentes de comunicación, esas esclusas a las que me refería hace un momento, son las que necesitamos en México."

Por último, diremos que quien logró realmente la solución del problema del distribuidor vial en la calle de Ferrocarril de Cuernavaca fue Claude Le Brun.

Saber que la panista quería que se le aplicara el artículo 33 a un hombre tan comprometido con su comunidad y con el Liceo Franco Mexicano, nos habla de insensibilidad y de abuso de poder.

Elena Poniatowska en Tacubaya

Junio 18 de 2009

Querida Elenita y queridas todas las Elenas que habitan en la Poniatowska,

Antes que nada quiero agradecerte por haber venido al *meeting* de Tacubaya a apoyarnos a Ana Gabriela y a mí. Cada vez estoy más convencida de que no nada más en la cárcel y en el hospital se conocen a los amigos... sino también en ¡las campañas! Tal como lo expresé el día del encuentro con los vecinos, muchos de ellos me han tocado el corazón al hacerme sentir una enorme necesidad de hacer algo por cambiar las circunstancias que entristecen a nuestra ciudad y a nuestro país. Créeme Elena que ser candidata ha sido una de las experiencias más enriquecedoras de mi vida, durante la cual he conocido los diferentes rostros sociales que forman a nuestra sociedad, lo que me ha dado la oportunidad de, por un breve espacio de tiempo, interactuar con ella de manera más íntima. Esto le ha dado fuerza a mi determinación: si no gano continuaré mi lucha desde la trinchera ciudadana y periodística por las causas y razones que considero importantes en la construcción del destino que cada uno de nosotros merecemos.

Ya te imaginarás el gusto que me dio verte, muy sentadita bajo aquella lona en donde se encontraba el templete. Todo el mundo te miraba con ojos de admiración, pero sobre todo de cariño. Más que mis propuestas, esa tarde sobre lo que quería era hablar de ti. Sí, porque yo sé casi todo de la que fuera mi maestra, no nada más de literatura, sino en lo que se refiere a la forma, que me ha sensibilizado con su ejemplo y con su compromiso con los que menos tienen. Te decía que sé muchas cosas de ti. Sé que naciste en París un 21 de mayo, que pesaste tres kilos y que tomabas tres onzas de leche cada seis horas. Sé que el primer texto que escribiste en tu vida fue a propósito de Juana de Arco. Asimismo, estoy enterada de que cuando llegaste a México a los nueve años lo primero que te llamó la atención fueron las montañas de naranjas, el sol y la bondad de los mexicanos. Además, te sorprendió que te "güereaban" muchísimo por la calle a causa de tu pelo rubio y tus ojos azules. Sé que entraste como periodista a *Excélsior* en 1953.

Oye, Elenita, ¿por qué cuando eras niña te mordías las uñas? Algo me dice que te las mordías porque desde entonces tus manos estaban muy inquietas. ¡Querían escribir! ¡Querían contar todo lo que sentían y tocaban! ¿Te sudaban, Elena? ¿Sí? ¿Sabes por qué? Porque eres muy sensible. Porque vives a flor de piel. Porque no sabes decir no a nadie. Porque cuando eras niña te angustiaba que tu madre no regresara de los cocteles que le ofrecían al rey Carol y a madame Lepescu, y porque entre todas las llamadas de teléfono que siempre eran para ella leías un recado, entre decenas, que decía: "Un señor que no quiso dejar su nombre". Porque al ser tan güerita, más que mexicana parecías gringa y no sabías de dónde eras realmente ni tampoco dónde estaba tu casa, no obstante que tu tía Pita Amor afirmaba que su casa era ella. Porque temías que tu papá no regresara de la guerra. Porque cuando finalmente retornó te lo querías comer a besos. "Niña, no jales así a tu papá, no estés de encimosa", te decían los adultos. Pero a ti no te importaba un comino lo que te decían. Tú lo que querías era metértelo adentro para saber de qué estaba hecho, para saber cómo funcionaba, para saber por qué siempre estaba tan callado. "Papá, quiero tronarte los huesos en un abrazo fuerte, fuerte, fuerte, abrazo de oso, estrujarte, papá". Pero en tu casa, este tipo de manifestaciones no existían, no se usaban. *"Helen, don't do that"*, creías escuchar a la señora de la pintura que estaba en la sala de tu casa de las calles de Berlín. *"Helen, it isn't done"*, pensabas que te decía Elizabeth Sperry Poniatowska, tu antepasada que fue pintada por Boldini. Por cierto, ¿te acuerdas de la fotografía del señor Tovar que les tomó a tu madre, a tu hermana Kitzya y a ti para la revista *Social* para la sección "La belleza que se hereda", del número de diciembre de 1952? Esa pintura aparece entre ustedes. Oye

Elena, el día que les tomaron la foto, ¿no habrá sido el mismo en el que fuiste a una fiesta acompañada por tu flamante novio, Javier Carral, y que se enojó contigo porque cuando fue al baño y regresó te encontró bailando con otro? Creo que hasta te "cortó", ¿verdad? "Eres igual de coqueta que tu madre", te dijo furioso. Ay, pues qué delicado. Ahorita el señor Carral ha de estar arrepentidísimo, sobre todo cuando se enteró de que su ex novia obtuvo un premio que representa casi 300 mil dólares. Cuando te dieron la noticia del premio también te han de haber sudado mucho las manos, ¿verdad? Algo me dice que desde hace muchos años te sudan, porque cuando escuchabas a tu padre tocar el piano sabías de antemano que nunca llegaría al final de la pavana o de la tarantella o del rondó que le había pedido tu mamá. Sentías que tus manos te sudaban porque a pesar de tu cortísima edad intuías que las de tu papá temblaban. Porque sabías que vivía su vida como si hubiera estado fuera de la película, porque como tú misma escribiste: "Porque mi padre es un hombre que tiembla; desde que se levanta a la vida, siempre algo lo desasosiega por dentro y no le permite estar". Ah, cómo te han de haber sudado cuando Mother Heuisler te regañó por haberle dado el enfoque que le diste a tu texto sobre las Cruzadas. Qué injusta, y todo porque los describiste todos chamagosos y llenos de piojos.

¿Sabías Elena que siempre te he vivido como una mujer que ha inspirado grandes pasiones? Hace poquito, precisamente, me contó Ramón de Flórez que cuando tenía diez años se enamoró de ti. Creo que entonces tú tenías nueve. El caso es que te escribía cartas de amor, no con tinta sino con limón para que nadie pudiera descifrar todo lo que te decía. Cuando las recibías, las planchabas con la plancha que tenías para tus muñecas y con el calorcito y como por arte de magia salían las letras con todos los pensamientos de amor que le habías inspirado a ese niño que todavía usaba pantalón corto. ¿Cuántas cartas de amor has recibido en tu vida, Elena? ¿Cuántas has escrito? ¿Cuántas te quedarán por escribir y cuántas por recibir de mujeres candidatas?

¿Dónde quedó la bolita, mamá?

Desayuno a puerta cerrada con 300 mujeres de la tercera edad en la colonia Pensil con motivo del día de las madres

"Compañeras y ciudadanas de la Miguel Hidalgo:

"Antes que nada agradezco en todo lo que vale este desayuno, especialmente en estos días en los que la contingencia de salud está en la boca de todas nosotras, como lo muestran todos los cubrebocas azules que veo desde aquí. Me honra haber sido invitada este 10 de mayo para celebrarlas y compartir con ustedes mis ideas y los motivos para alcanzar la victoria en estas elecciones. Como saben, las mujeres somos quienes tenemos la última palabra en los resultados electorales de México. Por eso vengo a decirles que las necesito y que hagamos la excepción de solidarizarnos entre mujeres para elevar a una como su representante.

"Hoy vengo con muchas noticias; unas malas y otras muy buenas. Dice el dicho que al mal paso hay que darle prisa, así es que empecemos con las noticias malas. En México, cada año se detectan alrededor de 15 mil casos de cáncer de mama; 5 mil mujeres mueren por este mal; en el mundo, cada dos horas y media fallece una mujer por esta causa. En el Distrito Federal se realizan, gratuitamente, más de 300 mil pruebas a mujeres que no tienen seguridad social. Durante la actual administración se ha salvado la vida de poco más de 6 mil mujeres gracias al programa de Detección Temprana que la Jefatura de Gobierno arrancó con Marcelo Ebrard.

"Ésta es, sin duda, una buena noticia, pero ahora vayamos a las excelentes noticias.

"Hoy, 10 de mayo, les traje un regalo. Un sobre que guarda un papelito con las siguientes palabras: 'Vale por una mastografía'.

Creemos que no hay mejor regalo que dar una información tan importante como ésta. No olvidemos que una mastografía (o mamografía) no es más que un rápido examen de rayos X que permite detectar tumores y quistes incluso antes de que puedan ser palpados. Es importante decir que aunque esta prueba no sirve para comprobar la presencia de cáncer, sí pone en alerta a los médicos en caso de que sea necesario realizar una biopsia.

"El hacerse una mastografía anualmente a partir de los 40 años puede salvar la vida. No olvidemos que desde 2006 el cáncer de mama se ha convertido en la primera causa de muerte por cáncer entre las mujeres mexicanas. No obstante, es una enfermedad curable si se detecta a tiempo. Platiquemos de esto con nuestras amigas, con nuestras hermanas y con nuestras cuñadas, ya que lo más importante es la prevención. Es importante enfatizar que el autoexamen mensual así como la consulta anual con el ginecólogo y la mastografía anual son básicos para una lograr detección oportuna.

"Desafortunadamente, en los países más pobres la incidencia de esta enfermedad ha aumentado en 5% en los últimos años, lo que ha hecho del cáncer de mama un problema de salud pública urgente. Hay que decir que nuestro país, por desgracia, no está fuera de estas cifras. Por ejemplo, en el Distrito Federal existen alrededor de 3.5 millones de mujeres en riesgo, entre 35 y 70 años de edad. De ellas, cerca de 210 mil tienen una patología mamaria, pero lo realmente terrible es que la mitad de ellas ignora que se encuentra en esta situación.

"Seguramente muchas de ustedes se preguntarán si la prevención del cáncer es costosa. Por desgracia, muchas mujeres que notan alguna anomalía en sus senos prefieren callar, pues todavía hay algunas que piensan que su pareja se va a molestar, o que incluso puede abandonarlas. Afortunadamente, la Fundación Mexicana de Fomento Educativo para la Prevención y Detección oportuna del Cáncer de Mama (Fucam), una asociación civil que lleva ocho años de prevenir y atender esta enfermedad, ha establecido en México el primer Instituto de Enfermedades de la Mama de América Latina. Hay que decir que esta fundación ha ayudado sobre todo a los sectores más desprotegidos de nuestro país. Fucam no sólo ha realizado diagnósticos sino también ha dado tratamientos y seguimiento al cáncer de mama, y finalmente, ha realizado investigación médica para esta enfermedad. Hay que señalar que esta fundación firmó un convenio con el Instituto Politécnico Nacional y con el Instituto Nacional de Medicina Genómica para la investigación de las causas que predisponen a las mexicanas al cáncer de mama.

"Su presidente, el doctor Fernando Guisa Hohenstein, nos dice que existen asociaciones poco serias que sólo buscan lucrar con el cáncer de mama. Por eso es importante recalcar que 90% de las pacientes que ha acudido al Instituto de Enfermedades de la Mama ha sido exentada del pago luego de realizarles un estudio socioeconómico. A diferencia de los hospitales privados que cobran hasta 5 mil pesos, en esta institución una mastografía cuesta alrededor de 300 pesos.

"No cabe duda de que lo más importante de todo es la prevención. Muchas veces, nos enfatiza el doctor Guisa, las mujeres llegan al médico cuando la enfermedad está tan avanzada que la esperanza de sobrevivir es de 25% aproximadamente. Por esta causa, al año mueren alrededor de 12 mil mujeres en nuestro país.

"Así que les recuerdo que, sobre todo, es importante realizarse este examen de manera preventiva, es decir, una "mastografía de pesquisa", ya que gracias a ella se reduce significativamente el riesgo de que se convierta en una enfermedad mortal, pues con esta prueba se han logrado detectar casos de cáncer de mama en etapa temprana hasta en 74%.

"Pero volvamos a su regalo, a los sobres en donde se encuentra un pequeño cupón con el cual podrán ustedes hacerse su mastografía. Me he puesto ya de acuerdo con su líder vecinal, Lorena Platas, para que a partir de mañana lunes establezcamos una programación de visitas en los lugares de mayor concentración de mujeres en Miguel Hidalgo. Allí verán unos camiones de color rosa equipados con lo necesario y con tres médicos especialistas para que se realicen los exámenes de detección temprana de cáncer de mama.

"Las felicito de todo corazón. Mi solidaridad queda con ustedes. Y espero que este regalo, tan significativo, lo disfruten toda la vida. Sólo se necesita ir y presentar el cupón para estar a salvo de esta enfermedad que es predecible, pero también puede ser mortal.

Muchas gracias."

Una de la *high* en campaña

Gustavo Sánchez, *Milenio*, 24 de mayo.

Se contonea al caminar con sus zapatos negros de tacón para alcanzar a Víctor Romo, candidato a diputado local, al que acompaña a pedir el voto de los ciudadanos a favor del Partido de la Revolución Democrática, el próximo 5 de julio. Es de izquierda, clase alta, madre, esposa, escritora, editorialista; es una novata en la política, así es Guadalupe Loaeza, una "niña bien" haciendo campaña.

¿En qué consiste ser niña bien? "Las hay de varias categorías, a saber...", relata la candidata a diputada federal por el distrito 10 del Distrito Federal —que abarca la Delegación Miguel Hidalgo— en su libro favorito *Las niñas bien*, que escribió en 1982. Ahí retrata al sector más adinerado de la sociedad mexicana: viajes al extranjero, costosas prendas de vestir, casas espectaculares. Nada de esto vio en la colonia Tlaxpana, perteneciente a la demarcación que busca representar en el Congreso de la Unión.

Llega tarde, una hora después, pero no lo hace sola, viene con Javier González Garza, coordinador de los diputados del PRD en la LX Legislatura, partido que le ofreció a Loaeza una candidatura desde el 2000, "pero no la acepté", asegura ella.

—¿Y ahora por qué sí la aceptó?

—Porque tengo mucha energía, muchas fuerzas; me siento con más ganas de representar a los vecinos, porque siento que hay una crisis de credibilidad.

—¿Por qué deben confiar los ciudadanos en una "niña bien"?

—¡Ah! Yo escribí ese texto en 1982, estamos en 2009, en ese año era otro México, no había esta pluralidad tan vital entonces, ahora sólo soy una ciudadana de bien.

La rubia candidata platicaba cuando un señor se le acerca, le cuenta de una coladera tapada desde hace años, asunto que la hace desbordarse contra la panista.

—He recorrido muchos mercados, muchas colonias, nunca me había enfrentado con la trayectoria de un político tan mermado, salvo con el desprestigio de Salinas. Para mí que la panista está tan desprestigiada como él, tiene tantos negativos, por eso ya perdió, perdió la posibilidad de gobernar, perdió credibilidad, y no me explico cómo una política tan joven ha sembrado tanto odio en la Miguel Hidalgo. Ha dividido, ha creado un encono como jamás lo he percibido, y eso que llevo 27 años escribiendo, observando a los políticos.

Y Guadalupe sigue con su campaña, se presenta con los que no la conocen. Recorre un mercado, visita las casas por fuera, se pasea en decenas de puestos ambulantes.

Anda con Víctor Romo y González Garza. Se da tiempo hasta para plantar jacarandas en el jardín Diana.

Todo en busca del voto, ya que cree que pocos saldrán el 5 de julio.

—Existe el temor de que la gente no asista a votar el 5 de julio, ¿por qué?

—Porque ya no creen en los partidos, ya no creen en los políticos, hay hartazgo, escepticismo. Yo creo que, al contrario, nos tienen que dar una oportunidad a aquellos candidatos que somos ciudadanos, como es el caso de Laura Esquivel, Ana Gabriela Guevara y yo. Que tenemos la voluntad de llevar su voz al Congreso, a la Delegación…

Y en eso está.

Ciudadanía

Durante la campaña, cuando tenía tiempo, especialmente durante los largos trayectos entre una cita y otra con ciudadanos, releía los apuntes que había tomado en mis clases del ITAM:

La Delegación Miguel Hidalgo colinda con cinco delegaciones del Distrito Federal: Álvaro Obregón, Azcapotzalco, Benito Juárez, Cuajimalpa y Cuauhtémoc. La MH es la delegación más importante en la economía y desarrollo. Tiene 350 mil habitantes con una población flotante de 35 mil. Es una delegación de contrastes: mucha pobreza y mucha riqueza. El gobierno del Distrito Federal es el único gobierno que se preocupa por una vivienda digna, tal como lo pide nuestra Constitución. Argumento principal: al llegar a la Cámara pelearé por obtener más recursos, ya que nuestro presupuesto de ingresos y egresos se define en la Cámara de Diputados en San Lázaro, éste no se tramita en la Asamblea Legislativa con los diputados locales, como debería ser. La Asamblea de Representantes tiene 62 diputados. La mayoría de la Cámara del Congreso Federal la tiene el PAN [en ese entonces éste era el partido de mayoría]. El PAN y el PRI se mueven por intereses políticos y no por lo que realmente necesita la gente. Mientras no tengamos un estado independiente, el DF siempre estará sometido a quien gobierne el país. El PAN y el PRI siempre se ponen de acuerdo para estar en contra del PRD. Ejemplos que tienen que ver con las políticas sociales: la pensión de adultos mayores que afortunadamente sí tenemos en la Ciudad de México, pero no en todo el país. Esto no se hace porque se necesitaría un presupuesto para este programa, cuyo sello indiscutible es el PRD. Pero también porque significaría distraer el dinero de donde se encuentran sus verdaderos intereses. (Las pensiones de los ex presidentes nos cuestan a los ciudadanos 3 mil millones de pesos al año. El salario mínimo de un obrero del DF es de $54.80 diarios. El salario de un ministro de la Corte de Justicia es de $400 mil pesos más prebendas.) Programas sociales: los adultos mayores reciben en el DF $760 mensuales. Este programa se amplía a madres solteras. La MH es la zona turística más prestigiada de la ciudad. Objetivos: votos, votos, votos, votos, y más votos. Tema: votos, votos, votos, votos y más votos. Nuestro tema, mi tema son los ¡¡¡votos!!! Las campañas emocionales son las que más funcionan.

Cuarto de guerra: el cuarto de guerra es para tomar decisiones, no para hacer política. Menos es más: cuanto más pequeño sea el cuarto de contienda (CC), mejor.

1. Persona dedicada a la investigación en opinión pública.

2. Especialista en discursos.

3. El consultor de cabecera del candidato.
4. El organizador de las apariciones públicas.
5. El encargado de administrar las donaciones económicas de las que se nutre el partido (figura imprescindible en Estados Unidos).
   • Reportes de investigación.
   • Monitoreo mediático de campaña y de contexto. (Se tiene que monitorear lo que está haciendo la panista.)
   • Información de la competencia. (Inteligencia.)
   • Estatutos de meta. (Muy importante: las llamadas telefónicas.)
   • Previsiones.

Se recomienda mantener lo más "sellado" posible el sitio del CC y revisarlo constantemente. Se recomienda tener una agenda del día tipo y horario fijo. Se recomienda hacer una síntesis de acuerdos y decisiones como cierre de ayuda para hacer más eficiente el proceso. (Disciplina, disciplina, disciplina)

Esta clase fue impartida por el profesor Héctor Llerena, el 16 de abril de 2009.

Algunas veces, mientras esperaba a Víctor Romo o a Ana Gabriela Guevara para empezar alguna de las tantas asambleas ciudadanas a las que fuimos juntos llamándonos "La fórmula mágica", jugaba a imaginar distintos eslóganes de campaña: "De niña bien a diputada por tu bien", "Háblame de tú. Háblame de ti", "Cara a cara", "Una abuela como tú", "Servir escuchando", "Escribamos juntos un capítulo nuevo en la Miguel Hidalgo", "Las niñas bien, las reinas de Polanco y las princesas de la Anzures votan por GL" "De niña bien a diputada del bien", "GL: congruencia, consistencia y compromiso".

En esos días en que trataba de empaparme al máximo sobre las tácticas del *marketing* político, recibí de manos de Angelina Peralta un libro que me había enviado desde España el filósofo Fernando Savater. Se trata del libro titulado *Diccionario del ciudadano sin miedo a saber* (Ariel, 2007). No me cansaré de agradecerle su atención, tan oportuna en esos momentos. Esta obra nos ayuda a aclarar el sentido de una palabra fundamental y sobre la que creo que todavía tenemos muchas dudas: ciudadanía.

Dice Savater en las páginas de este libro que "la ciudadanía democrática es la forma de organización de los iguales". Es decir, que ser ciudadano significa ser un sujeto de la libertad política, pero sobre todo es estar conscientes de la responsabilidad que implica este ejercicio. Desde que comencé a leer este pequeño libro, que no llega a las 90 páginas, me percaté de cuánto necesitamos los mexicanos consultar este diccionario. Conforme avanzaba en su lectura, iba subrayando varias frases, y especialmente meditaba sobre varios pasajes. ¿Será cierto que a los mexicanos nos hace falta tener conciencia de nuestra ciudadanía? ¿En qué consiste exactamente ejercer nuestros derechos? ¿Será cierto lo que decía Porfirio Díaz de que a los mexicanos nos gusta ejercer nuestros derechos pero no nuestras responsabilidades? Contrariamente a lo que la mayor parte de las veces se dice, a Savater le interesa más la idea de la "igualdad" que la de "diversidad". La diversidad es un hecho, dice, pero la igualdad es una conquista. Todos los seres humanos tenemos particularidades, gustos distintos y diversas formas de pensar; no obstante, pensar en la igualdad implica dialogar, ponerse de acuerdo, pero sobre todo construir derechos. Como dice en la página 11: "No se progresa creando diferencias sino igualando derechos".

Para el filósofo español ser un ciudadano informado es algo muy sencillo. De ahí que su libro se refiera sólo a 20 palabras muy comunes, 20 palabras que utilizamos todos los días como "derecha", "izquierda", "diálogo", "opinión", "paz", "políticos", "progresista" y "reaccionario". Hay que decir que si bien recurrimos a ellas todo el tiempo, no siempre reflexionamos sobre su sentido y mucho menos estamos en condiciones de dar una definición de su significado. No quiero decir que debamos estar de acuerdo con todas las definiciones propuestas por el autor, pues como él mismo dice cuando habla de la "derecha" y de la "izquierda": "Aquellos que nos contradicen nos mantienen democráticamente cuerdos".

Acerca de este tema, me llamó la atención el pasaje siguiente: "Mientras que todos los partidos que se dicen de derechas suelen ser fundamentalmente de derechas, algunos de los que se dicen de izquierdas lo son sólo a ratos. Por sus obras y proyectos debéis juzgarlos, no por sus siglas". Curiosamente, en México los partidos de derecha son los que con frecuencia sienten cierta vergüenza, como es el caso del PRI que actualmente dice que es un partido socialdemócrata, y del PAN, pues recordemos que Vicente Fox se llamaba a sí mismo "candidato de centroizquierda".

Respecto a la "separación de los poderes", Savater dice que la democracia tiene una ventaja política sobre otro tipo de formas de gobierno porque no es que los dirigentes elegidos democrática- mente sean mejores sino que mandan menos: "La democracia es el sistema político que institucionaliza la desconfianza en los líderes y la vigilancia sobre ellos por distintos medios". No hay que olvidar que las deficiencias que han existido en nuestro país se generaron a causa de que como ciudadanos durante muchos años no hemos tenido derecho a la información sobre los actos de gobierno.

En cuanto a la "tolerancia", el también autor de *Ética y ciuda- danía*, opina que ésta no nos impide formular críticas razonadas, no nos obliga a silenciar nuestra forma de pensar para no "herir" a quienes piensan distinto a nosotros. Es decir, para tolerar a los de- más es necesario tomar en cuenta que los otros tienen el derecho de inconformarse con nuestras opiniones; como resume el escritor sueco Lars Gustafson: "La tolerancia de la intolerancia produce in- tolerancia. La intolerancia de la intolerancia produce tolerancia". Sí, la tolerancia es sumamente importante, pues nos evita caer en el fanatismo y, sobre todo, ayuda a formarnos una opinión. Por eso, una de las principales preocupaciones del autor es que los ciuda- danos se informen para desarrollar una opinión personal: "lo que vale es procurar llegar a saber por cuenta propia para poder pensar mejor, no acumular saberes ajenos acríticamente aceptados".

Voto nulo y voto, luego existo

Organizar en plena campaña un encuentro entre académicos y po- litólogos para hablar del voto nulo a muchos les parecía una idea descabellada. Sin embargo, la sugerencia de Alejandra Frausto de organizar este panel, no en cualquier lugar sino en el corazón de Polanco, es decir, en la *Hacienda de los Morales*, me pareció una idea genial. Lo importante en esos días era el debate que se había dado alrededor de una corriente ciudadana que había surgido de manera totalmente espontánea y que por lo tanto no se podía soslayar. Como candidata ciudadana estaba obligada a debatirlo. Aunque el movimiento afectaba particularmente a los candidatos ciudadanos, había que escuchar estas voces que pedían votar en blanco, anular o votar por "Esperanza Marchita", como sugería el politólogo Sergio Aguayo.

Junto con Ale, hicimos con todo cuidado la lista de expositores; prácticamente todos ellos estaban de acuerdo con el voto nulo. La fecha sería el 11 de junio a las 19:00 horas en el Salón Morera. En la mesa estaríamos Ana Gabriela Guevara, Gerardo Zapata, Víctor Romo, y yo como candidatos. Como panelistas Denise Dresser, José Antonio Crespo, Leo Zuckermann, Humberto Musacchio y Héctor Vasconcelos.

He aquí como lo reportó el 12 de junio mi compañero Jorge Pérez de *Reforma*:

Académicos y politólogos coincidieron ayer en señalar a los partidos políticos como promotores del voto nulo en las próximas elecciones.

Durante un debate convocado por la candidata a diputada federal por el PRD, Guadalupe Loaeza, el académico José Antonio Crespo afirmó que cada vez que los partidos descalifican el movimiento que se ha gestado de manera independiente, en realidad le dan la razón y cada vez más consideran anular su voto.

"Los partidos son los principales promotores del voto nulo, porque no entienden el mensaje, y el IFE tampoco está entendiendo", afirmó.

La politóloga Denise Dresser, quien mandó por escrito su ponencia sobre el tema, destacó que la opción de anular el voto es resultado de la mala actuación de los partidos.

"Ahí está el PRI montado sobre el corporativismo corrupto y vanagloriándose por ello. O el PAN, que prometió ser el partido de los ciudadanos pero acabó cortejando a Valdemar Gutiérrez, líder atávico del sindicato del IMSS.

"O el Partido Verde, única opción 'ecologista' del planeta que apoya la pena de muerte, mientras se vende al mejor postor y financia la farándula del 'Niño Verde'. O el PRD, enlodado aún por el cochinero de su elección interna", señaló.

Por su parte, Leo Zuckermann coincidió con el resto de los ponentes en que es necesario reformar las leyes para permitir la reelección de diputados en el Congreso y con ello ejercer un voto de castigo o premiarlos por su desempeño.

Humberto Musacchio coincidió con Dresser en las críticas a los partidos, sobre todo a los chicos, pues dijo que están probando ser negocios de particulares.

Afirmó que a todos los gobiernos, sin importar que sean de derecha, de centro o de izquierda, los ciudadanos deben exigirles eficacia y honradez, e insistió en que si los ciudadanos no saben quiénes son sus candidatos, entonces deben acudir a las urnas a anular su voto.

En su oportunidad, Loaeza se comprometió a que, de llegar al Congreso de la Unión, presentará una iniciativa para reformar la Constitución y permitir la reelección, así como otra en materia electoral para que pueda haber candidatos independientes.

La aspirante por el PRD defendió el voto por algún partido, aunque manifestó su respeto por quienes están a favor de anularlo.

"Esta crisis de representación que ha llevado a que la ciudadanía busque la opción del voto nulo es un problema serio que afrontamos los candidatos", afirmó Loaeza.

En lo que todos coincidimos, incluyendo a Ana Guevara, Romo y Zapata, era en que las elecciones no resuelven el problema de los políticos corruptos y holgazanes. El hecho de ganar por mayoría, aunque ésta sea aplastante, no lava la imagen de un político. La ciudadanía sabe de la existencia de tácticas y por eso los ciudadanos ya no la reconocen como una vía para elegir buenos gobernantes. La perciben como una manera de reciclaje de políticos. La sociedad califica a la clase política como desinteresada de las necesidades reales de los ciudadanos. Carentes de propuestas efectivas para el desarrollo de México, esto ha provocado, a todas luces, un enojo que ha crecido en la sociedad.

Hay que decir que en las elecciones intermedias de 2009 este disgusto encontró salida en varios movimientos encabezados por diferentes agrupaciones civiles como Voto en Blanco, Esperanza Marchita, Voto Nulo, entre los que más aparecieron en los medios de comunicación. Estos movimientos se promovieron inicialmente en diferentes espacios en Internet. En las redes sociales formaron grupos de apoyo, en *blogs* informaron de su causa a la comunidad, por correo electrónico lanzaron cadenas que fueron multiplicando su divulgación. Como bien dice Crespo:

Los inconformes con los partidos reclaman su derecho a protestar contra el sistema de partidos (y, a veces, también contra el sistema electoral). Y debaten cuál de esas expresiones, la abstención o el voto nulo, puede presionar más eficazmente a los partidos para que realicen reformas que incluyan en mayor medida a sus *representados*. También, se discute si el *no voto* (en cualesquiera de sus dos expresiones) es un derecho como parte de la libertad de votar (la cual implicaría también la libertad de no votar). Yo así lo creo. Algunos polemistas en ese debate dicen que no es obligatorio votar por algún partido (como los "participacionistas" quieren). Dicen que eso es como elegir entre morir en la horca o en la guillotina. Quienes prefieren anular el voto, insisten en que no se desea mandar el mensaje de la apatía (como comúnmente se interpreta la abstención), sino de rechazo activo y deliberado a todos los partidos. Concuerdo con ello. Es lo que suele llamarse *abstencionismo activo*, o *cívico*, pero que fácilmente puede confundirse con el abstencionismo apático o indiferente, si no se plasma en una boleta anulándola con claridad. Nuestra legislación no contempla el *voto en blanco* como sí existe en varias democracias, es decir un espacio en la boleta especial para quien quiera votar por *ninguno*, en cuyo caso no tacha toda la boleta, sino sólo ese espacio creado como una opción legítima, como una posibilidad de la libertad de votar. Habrá que empujar que en adelante se incluya ese derecho (que en general, aun los *participacionistas* reconocen como menos perjudicial institucionalmente que simplemente abstenerse de ir a las urnas).

Por su parte, Denise Dresser preguntó la noche del debate al público:

¿Usted sabe quién es su diputado? ¿Sabe cómo votó durante su paso por el Congreso? ¿Sabe cuántas veces viajó al extranjero y a dónde? ¿Sabe qué iniciativas legislativas presentó? ¿Sabe cómo ha gastado el dinero público que usted le entregó a través de los impuestos? Es probable que usted no sepa todo eso y quisiera sugerir por qué: el sistema político/electoral no fue construido para representar a personas como usted o como yo. Fue erigido para asegurar la rotación de élites, pero no para asegurar la representación de ciudadanos. Fue creado para fomentar la competencia entre los partidos, pero no para obligarlos a rendir cuentas. Fue instituido para fomentar la repartición del poder, pero no para garantizar su representatividad.

Leo Zuckermann, poco antes de iniciarse la mencionada campaña por el voto nulo, hizo propaganda a Elisa de Anda en el noticiero de José Cárdenas en *Radio Fórmula*, como la líder de "un grupo de jóvenes inquietos que querían participar en política con nuevas ideas".

En una de sus columnas de *Excelsior*, "Juegos de poder", escribió:

Qué bueno: el solo hecho de que se esté debatiendo este tema ya es un llamado de atención para los partidos. En diversos foros me han preguntado si voy a anular mi voto. Hasta ahora había dicho que no sabía. Por un lado, me disgustaba la anulación cuando durante mucho tiempo se luchó por que el voto fuera el mecanismo para elegir a nuestros gobernantes. Pero, por el otro, no se me antojaba votar por los partidos actuales que se han convertido en maquinarias monopólicas con poca capacidad de representar a la ciudadanía y con mucho apetito por vivir cómodamente de los contribuyentes.

Desafortunadamente no pude invitar en el panel a Carlos Monsiváis, pero quiero mencionar que no coincidía con la anulación del voto y que su postura la expresó el 11 de junio de 2009 en la conferencia magistral *¿Votar o no votar?* La consigna de Carlos Monisváis con el electorado fue no renunciar al voto y destacó su importancia como elemento fundamental en la construcción de la ciudadanía. Afirmó que "A pesar de que la sociedad mexicana no está en el mejor de los casos posibles, existen sectores y candidatos que valen la pena, pues muestran disposición para reconstruir el país […] la anulación del voto no respeta la democracia por considerar que ha fallado, lo cual es cierto en cuanto a que han fallado factores pero no la democracia en sí porque ella representa una actitud desde abajo y está sustentada en el voto […] anular o votar en blanco significa entregar nuestro esfuerzo a un grupo que ha calcinado nuestra voluntad."

Humberto Musacchio también se ocupó mucho durante esos días del tema. En su artículo del 2 de julio de 2009, el cual generosamente tituló *Entre Guadalupe Loaeza y el voto nulo,* escribió:

En México no se puede llegar a las cámaras sin que sea un partido el que proponga al candidato y, por supuesto, le imponga condiciones, la primera de las cuales es no romper los pactos que existen entre los políticos profesionales para seguir ordeñando al Estado.

Sí, porque además de lo que gastamos en partidos, elecciones, IFES y TRIFES, el Congreso de la Unión y las cámaras locales nos cuestan otra fortuna, pues no son para nada despreciables los sueldos que cobran los padres de la patria, quienes, salvo excepción, forman un hato de analfabetos que sólo abandona su mansedumbre a la hora de sacar más dinero. Y vaya que lo sacan, en efectivo o en especie, mediante gastos de representación, compensaciones, seguro médico y de vida con firmas privadas, viajes, hoteles, comidas, gastos sin comprobación, vehículos del año, choferes, secretarias, ayudantes, ujieres y guaruras que pagamos los contribuyentes. […] En resumen, si hemos de votar, que sea por candidatos conocidos que impulsen planteamientos como los citados, hombres y mujeres con probada independencia de criterio, incapaces de doblarse ante los amagos del dinero o del poder. Lamentablemente hay pocas Guadalupes Loaeza o Ana Gabrielas Guevara, menos todavía Jaimes Cárdenas o Bernardos Bátiz, personas conocidas y de probada calidad moral. Pero son pocos los conocidos y de la inmensa mayoría nada bueno se conoce. Ésa es la desgracia. En los distritos, las delegaciones, los municipios y los estados donde los candidatos son unos ilustres desconocidos, lo que procede es ir a la casilla y no dejar las boletas en blanco, sino tacharlas, anularlas.

Por último, transcribo la conclusión de José Antonio Crespo respecto a las elecciones intermedias de 2009 en la revista *Nexos* número 381 de septiembre:

Se puede aventurar que el movimiento contribuyó, en alguna medida, a detener la tendencia a la baja del abstencionismo (pues la participación creció en tres puntos porcentuales). Finalmente, el verdadero éxito del movimiento se podrá calibrar en el futuro inmediato, si durante la "reforma a la reforma electoral" se introducen algunas de las propuestas que se barajaron durante la polémica sobre el voto nulo (si bien no siempre hubo consenso sobre ellas entre los anulistas); candidaturas independientes, figuras de democracia participativa, introducción en la boleta de un recuadro para votar el blanco con efectos presupuestales a los partidos, reelección legislativa, etcétera. Sólo en esa medida se podrá decir que el movimiento *anulista* alcanzó cierto éxito, pues ése era su propósito estratégico. El mensaje de protesta e inconformidad, en todo caso, llegó a sus destinatarios. Algunos han dado acuse de recibo; otros, sin haber entendido en absoluto la protesta *anulista*, han preferido culpar a ésta de su respectivo descalabro.

Denuncias, denuncias y más denuncias…

Se ostenta como licenciada en ciencia política
sin serlo, señalan
Vecinos acusan a ex delegada de usurpar título
Claudia Álvarez Laris
La Jornada, jueves 2 de julio de 2009

Vecinos de Polanco, las Lomas y Bosques denunciaron que la ex delegada de Miguel Hidalgo cometió el delito de usurpación de profesiones, toda vez que se ostenta como licenciada en ciencia política sin poseer título ni cédula profesional. Al hacer un recuento de las "arbitrariedades y abusos" de los que, señalan, fueron objeto durante la administración de la panista, los quejosos mostraron el oficio DCP/SCP/1650-AP/09, folio 4820, de la Dirección General de Profesiones, donde se informa que en la Secretaría de Educación Pública "no se tiene antecedente, al día 19 de junio del año en curso, de la susodicha como profesionista".

Alejandro Álvarez Calderón, vecino de Miguel Hidalgo, informó que a más tardar este jueves presentarán una denuncia ante la Procuraduría General de Justicia del Distrito Federal (PGJDF) contra la ex delegada quien, al firmar diversos documentos oficiales con el título de licenciada, cometió el delito de usurpación de profesiones previsto en el artículo 323 del Código Penal para el Distrito Federal.

En rueda de prensa Eduardo Farah, Alejandro Álvarez, José Roquero de Teresa, Juan Álvarez, Trinidad Belauzarán y Martín Iglesias, representantes de diferentes colonias de la demarcación, expresaron su preocupación por la posibilidad de que la ex delegada, quien es candidata a diputada federal por el Partido Acción Nacional, llegue al Congreso, ya que, expresaron, "durante su mandato en la delegación dio muestras de prepotencia y autoritarismo".

Mediante un video, los denunciantes documentaron los "abusos" que cometió la panista al querer imponer obras "ilegales" en Ferrocarril de Cuernavaca y Ejército Nacional, Palmas y Reforma, en la Alameda Tacubaya y Parque Lira, entre otras. Juan Álvarez, representante de Amigos de Polanco, informó que la "delegada en fuga" dejó un subejercicio presupuestal de 500 millones de pesos, fondos que hasta la fecha nadie sabe dónde están.

Los últimos correos de mi estratega

Subject: Ganar y perder con clase
Thu, 2 Jul 2009 09:07:56 -0500

Muchas felicidades por tu campaña... estoy seguro de que esta experiencia ha sido una de grandes satisfacciones y aprendizaje.

Te quiero comentar que tuve la sensación que la larga e intensa campaña parece haber tenido un impacto en la frescura y claridad de los candidatos ciudadanos. A ratos fue difícil encontrar la propuesta ciudadana en los tintes, a veces populistas, a veces impetuosos, que han caracterizado al PRD.

A veces me preocupo sin razón, pero el "si gano, la democracia gana, pero si pierdo, compraron el voto" me parece súper peligroso para tu reputación y tu futuro como ciudadana en la política. Más allá del hecho de que el acarreo y voto clientelar en el DF es el *modus operandi* del PRD, me parece que tomar esa bandera en caso de perder no sólo sería contraproducente para ti sino malo para México.

Por eso espero que cualquiera que sea el resultado, lo tomarás con serenidad y actuarás con clase.

Mucha suerte, Federico.

PD Perdón que insista pero es muy probable que el margen sea chico. Las elecciones las gana quien obtenga más votos independientemente del margen. Ésas son las reglas y ésa es la forma más práctica de definir a un ganador ante la ausencia de un sistema con dos vueltas.

Justamente lo que me da miedo son tus asesores políticos. El PRD va a sufrir una derrota sonante este domingo y será en parte por querer jugar un juego cuyas reglas sólo respeta cuando gana. Insisto en que la compra de votos y acarreos son métodos que tristemente todos los partidos usan y en el DF, el PRD, tu partido, es el campeón.

Espero que no suceda pero sería una gran decepción para mí verte tomar un camino autodestructivo de impugnaciones, con conferencias de prensa con la Claudia Sheinbaum de turno, bajándote al triste nivel de los que luchan por los privilegios asquerosos y corruptos del sistema político mexicano en lugar de cambiarlo como ciudadana.

Nos vemos el domingo...

Queridísimo Federico:

Tienes razón, tengo una responsabilidad enooooooorme. Lo sé. Pero también sé que los panistas son unos tiburones respecto a las elecciones. Recurren a acarreos, a donaciones estratoféricas, compra de votos, etcétera. Si supieras todo lo que hizo la panista para ganar la Delegación te irías de espaldas. Algo que me queda clarísimo es que los resultados no deben dejar la menor duda respecto a la triunfadora. El margen tiene que ser alto. Además, no te olvides de que no estoy sola, tengo conmigo a mis asesores políticos. Lo que me llena de satisfacción es terminar la campaña sin compromisos, sin haber pactado con nadie, y sin haber recibido dinero de empresarios tal como lo hizo la panista hace tres años. Te confieso que también me gratifica mucho haber hecho una campaña intensa y haber remontado los 14 puntos que tenía de diferencia en tan sólo dos meses. En fin, ya dirán los votantes el próximo domingo. Me gustó mucho tu pregunta: inteligente y muy oportuna. Me da gusto que te encuentres tan involucrado en el proceso electoral. Indiscutiblemente eres un joven sensible, participativo, informado y muy a todo dar. Estoy muerta. ¿Cómo están

Cecile y tus hijos? Los extraño muchísimo. Nos vemos el domingo. Te mando muchos besos y gracias por haber venido ayer por la noche.

Tu mamá

Date: Fri, 3 Jul 2009 12:22:16 -0500
Subject: Re: Ganar y perder con clase

Qué bueno que estás empatada... me parece que el abstencionismo y el voto nulo afectan sobre todo al PAN porque creo que va a ser un factor en los niveles socioeconómicos altos. El PRD va a mover mucha gente el día de la elección. Créeme que a la señora de las Lomas o al chavo de Polanco no los pueden ni acarrear ni comprarles el voto.

Piensa siempre en tu integridad, en la admiración de tus nietos e hijos. Piensa en tus lectores totalmente desinteresados, en la gente que te ha apoyado a lo largo de tu carrera. Piensa en los ciudadanos de verás movilizados por ayudar sin agendas políticas. Piensa en tu serenidad y en la satisfacción de no haber caído en tentaciones baratas y pasiones destructivas. Piensa en tu felicidad, no en tu éxito.

Saludos.

Luna, luna, Lunario: *talk show*

Organiza Guadalupe Loaeza *talk show*
Pilar Gutiérrez
Reforma, 2 de julio de 2009

Un sillón al frente y, en él, la conductora: Guadalupe Loaeza.
Anoche, el *Lunario* del Auditorio Nacional se convirtió en el escenario en el que la aspirante del PRD a diputada federal por el Distrito X de Miguel Hidalgo cerró su campaña de manera *sui generis*, entrevistando a distintas invitadas.

Como introducción al "programa", su equipo presentó un video de 8 minutos y 51 segundos en el cual se hace un recuento de los recorridos y reuniones vecinales de la candidata en campaña, y se vierten opiniones a favor de su postulación de literatos y políticos como Elena Poniatowska, Alejandro Gertz Manero y Porfirio Muñoz Ledo.

Al concluir, llegaron los aplausos. Se iluminó el escenario y se dio la bienvenida a la candidata al plató, a donde llegó acompañada del primero de los invitados de la noche: el intelectual Sergio Aguayo.

Después de externar su opinión sobre la democracia, tema sobre el cual escribe tres libros, el escritor aprovechó para externar su visto bueno a la candidatura de Loaeza. "Qué bueno que te hayas postulado, que hayas tenido el valor y la audacia para enfrentar a la gente, porque el aprendizaje que has tenido es invaluable, porque es necesario acercarse para darse cuenta, lo veo por tu mirada", le dijo Aguayo.

La plática continúo entre preguntas y respuestas acerca de los comicios del domingo, hasta que, como en un programa de televisión, se interrumpiera la transmisión para anunciar que llegaba Ana Gabriela Guevara, candidata a Jefa Delegacional.

La participación de Aguayo concluyó cuando se pidió un fuerte aplauso para Guevara, quien llegó con Víctor Romo y Gerardo Zapata, aspirantes a diputados locales. "Un aplauso para todos ellos, ésta es la fórmula con la que ganaremos [...] Queremos que la delegación se pinte de amarillo, que se haga todo lo que no se hizo en estos últimos dos años", dijo Loaeza a modo de bienvenida a sus compañeros.

La escritora pidió unas palabras a Guevara, quien se congratuló de que momentos antes realizó su cierre de campaña en la Alameda Tacubaya con una alta participación de la ciudadanía. Hasta el cierre de esta edición, en la velada no se habían escuchado propuestas. Como dijo Aguayo, en la sala ya no había que convencer a nadie.

Lo que no sabía mi compañera Pilar Gutiérrez es que esa noche tenía un enorme nudo en la garganta. Aunque la campaña había sido tan abrumadora y desgastante, había sido al mismo tiempo muy enriquecedora. Había conocido gente de primera, escuchado cosas muy interesantes, me había reído, enfurecido y hasta entristecido. Con el cierre de campaña cerraba un eslabón de una cadena que ya tiene sus buenos metros. Tal vez en esos momentos no lo sabía, pero ahora que escribo todo esto me doy cuenta de que sin duda ya no soy la misma. Como me dijo Sergio Aguayo: "Tu mirada ha cambiado".

Es cierto, ahora veo las cosas de otra forma.

Día "D" (de dedo)

Finalmente llegó el día más esperado: 5 de julio de 2009. Confieso que no pude dormir. Despierta como estaba, tuve todo tipo de sueños: en uno me veía en plena sesión en la Cámara de Diputados, cuando de pronto sonó mi celular. "Estoy viendo el canal del Congreso, levanta la mano para ver dónde estás ubicada para que te vea en la tele". Era la voz de mi marido. Luego no sé por qué me vi jugando fútbol con mis nietos. Para mi sorpresa era yo la que metía un gol. "¡¡¡Goooooood!!!", imaginé que gritaba Andrés. Durante esa madrugada tan larga para mí tuve asimismo una que otra pesadilla. Me veía discutiendo por una oficina que me habían asignado en el Congreso de la Unión. "Señor, mi oficina, no tiene ventanas. Está muy chiquita. Además, todos los muros están despintados. Yo no puedo estar en esta oficina. ¿Por qué las diputadas priistas están mejor ubicadas; sus oficinas son mucho más amplias y tienen más luz?" En medio de tantas imágenes, por fin, sonó el despertador. Eran las seis de la mañana. En una hora vendría Leonor Díaz a maquillarme y peinarme. Me bañé y debajo de la regadera recordé las palabras del último correo de Federico:

Piensa siempre en tu integridad, en la admiración de tus nietos e hijos. Piensa en tus lectores totalmente desinteresados, en la gente que te ha apoyado a lo largo de tu carrera. Piensa en los ciudadanos de verás movilizados por ayudar sin agendas políticas. Piensa en tu serenidad y en la satisfacción de no haber caído en tentaciones baratas y pasiones destructivas. Piensa en tu felicidad no en tu éxito. Saludos.

Buena suerte.

De pronto me pregunté: ¿Por qué nunca nadie me dijo lo que debía de hacer hoy, hoy, hoy? ¿Cuál será el protocolo para el día más importante de la campaña? ¿A dónde me tengo que dirigir? ¿Con quiénes voy a estar? ¿Por qué nadie llama por teléfono? Hay un silencio horrible en la casa. Enrique sigue durmiendo. Nadie me dijo dónde está el cuarto de guerra, ni siquiera sé si mi equipo me está esperando allí. ¿Quién estará coordinando todo esto? Ninguno de mis compañeros de fórmula me llama. ¿Y Ale? ¿Y Mary? ¿Y Vianey? ¿Y Mauricio? ¿Y Sofía? ¿Y Antonia? ¿Qué día es hoy? ¿Me habré equivocado de fecha? ¿¿¿Seré realmente, yo la candidata a diputada federal??? Yo creo que sí; ayer todavía Enrique y yo vimos el enorme espectacular con mi imagen en Río San Joaquín. ¡Qué horror, estoy muy nerviosa!"

Una vez arreglada, peinada y perfumada fui a votar. Esa mañana me vestí con un traje de pantalón negro y una playera amarilla que compré en barata: "Para ese día tan especial tengo que estrenar", pensé. Enseguida, Enrique y yo desayunamos y mientras hojeábamos el periódico, cuya portada decía: "Ponen voto a prueba", comentamos cosas que no tenían nada que ver con las elecciones; creo que hasta recordamos una película de Woody Allen, *Hannah y sus hermanas*. Lo que sí tengo muy presente es que antes de salir de la casa para dirigirme a la casilla que me correspondía le pedí que por favor no se olvidara de votar por GL. Me miró con mucha ternura y se rió. De eso sí me acuerdo.

Mi casilla se encontraba en la escuela Ignacio L. Vallarta que está justo en la esquina de Plaza Río de Janeiro y Durango. Cuando vi el nombre en la marquesina, en seguida me acordé de que mi padre solía hablar acerca de este personaje que fuera jurista y gobernador de Jalisco. Si mi memoria no me falla, creo que Vallarta acompañó a don Benito Juárez en el recorrido hecho por el presidente en defensa de la República. Además, fue ministro de

Relaciones Exteriores en la época de Porfirio Díaz. "¿Sabes por qué se llama Vallarta, Puerto Vallarta?", me preguntó un día mi padre. "Por Ignacio L. Vallarta." Me dije que era un buen augurio el hecho de encontrarme en un plantel bautizado con ese nombre.

Al llegar al colegio me topé con una fila larga. Por allí también estaban mis colegas del periódico *Reforma,* Mariel Ibarra e Iván Maldonado, con quienes me había dado cita la víspera. Al vernos, los tres nos sonreímos de una manera cómplice. Para ese momento ya estaba más tranquila. Ya me habían telefoneado mis tres hijos, mi hermana Antonia, Ale y Sofía: "Suerte. Prepárate para todo y no olvides quién eres." Me cayó como patada en el estómago pero preferí ya no decirle nada. El día estaba bonito y lo más importante era que parecía que no llovería. Cuando tocó mi turno para votar, tragué saliva, respiré hondo y profundo y fui hacia la mampara con mis tres boletas. "*¡Oh, my God!*", exclamé, al ver la letra del nombre de los candidatos tan chiquita, tan chiquitita, tan diminuta y tan minúscula. No lo podía creer. En cambio las siglas de cada partido eran inmensas, gigantescas, grandototas. Pensé, "¿cómo habrán votado los ciudadanos por sus respectivos candidatos que no llevaban anteojos, o que tenían que forzar la vista para distinguir el nombre del candidato". "Hay que denunciar esto ante el IFE", me dije con cierta resignación. Con trabajos pude distinguir el nombre de Agustín Torres como delegado para la Cuauhtémoc por el PRD; para candidato local puse mi cruz para Gerardo Zapata y para diputado federal le di mi voto a Armando Barreiro, a quien no tenía el gusto de conocer más que por foto. Su barba y sus canas le daban un aire de sabiduría; además, su sonrisa lo hacía cercano.

Al salir de la casilla, de inmediato se me acercaron mis compañeros del *Reforma* y me preguntaron mis impresiones. Molesta como estaba les comenté a propósito de la letra tan pequeña de los nombres de los candidatos.

Mariel Ibarra e Iván Maldonado
5 de julio de 2009

La candidata perredista a Diputada Federal por el Distrito X, Guadalupe Loaeza, llegó en punto de las 8:45 horas a la casilla 4525 en donde afirmó, tras haber votado, que las boletas no le gustaron nada. "Las letras son muy pequeñas, no se alcanzan a leer", dijo. Asimismo, Loaeza aseguró haber soñado que metía un gol, viéndose sola en la cancha, lo cual espera que sea un buen augurio. Loaeza llamó a los ciudadanos a salir a las urnas para derrotar al abstencionismo. La escritora llegó a la casilla ubicada en la escuela Ignacio Vallarta, en la calle de Durango, en la Colonia Roma, y al igual que unos 20 ciudadanos más tuvo que esperar, pasadas las 9:00 horas, a que abrieran las casillas, las cuales registraron retrasos por la falta de funcionarios electorales. A pesar de que Loaeza compite por una diputación federal para un distrito de la Delegación Miguel Hidalgo, ella sufragó en la Delegación Cuauhtémoc, donde habita desde hace unos años. Luego de emitir su voto, Loaeza dijo sentirse confiada en que la participación de la gente se exprese en esta jornada, pero manifestó estar temerosa de la compra de votos por parte del PAN. "Yo espero mucha participación ciudadana y transparencia, pero también espero que no exista el famoso carrusel y la compra del voto por parte de la candidata del PAN. Tengo mucho temor de que hagan trampa", dijo la candidata, quien llegó a las urnas vestida con un traje sastre color negro y blusa amarilla. Loaeza señaló que la jornada electoral la pasará con su familia en un hotel de Polanco y que más tarde se reunirá con la candidata a la jefatura delegacional por Miguel Hidalgo, Ana Gabriela Guevara

Me regresé a la casa no sin antes echarle un vistazo a la fuente de la plaza Río de Janeiro. A esas horas había un arco iris precioso. "Otro buen augurio" me dije. Enrique ya me estaba esperando para irnos al Hotel Hábitat en Polanco, en donde me habían ofrecido muy amablemente el área del *business center* para estarme informando acerca de jornada electoral y recibir a amigos y familia.

Estábamos por Mariano Escobedo cuando de repente suena mi celular; era Mary que me decía muy acelerada: "¡No me dejan votar Guadalupe! Les mostré la carta del Partido donde estoy acreditada en la casilla de Bradley, contigua a la casa de campaña de Víctor Romo, en la Anzures. Ya les expliqué que soy representante del Partido y me dicen que las listas se las llevaron hace un rato, ¡y no saben si las van a regresar! ¿Cómo puede ser eso? ¡Son las 10 de la mañana y ya nos están perjudicando! ¿Qué hacemos Guadalupe? ¿Con quién hablamos? No te parece que eso ya deberíamos saberlo desde hace un buen rato, desde hace una semana y ¡no tenemos ni idea! Nadie sabe qué onda, nadie de alto nivel denuncia estas anomalías. ¡Garfias no tiene la fuerza para presionar a los del IFE! ¡Parecemos tontos! ¡Esto está mal… del nabo! Vamos a perder, no sólo nosotros, todos, esto está muy desorganizado".

Confieso que la llamada de Mary empezó a preocuparme. No obstante, me confirmaba algo que ya había intuido desde la víspera de las elecciones. El sábado, ya muy tarde, le llamé a Francisco Garfias, el abogado y operador de los representantes del Partido y candidatos en las casillas para quejarme con él en relación con las quejas de muchos promotores del voto a los que les había telefoneado para agradecerles su apoyo y desearles suerte. "Lupita, no nos han dado la información con la que tenemos que trabajar, no tenemos nada." Así se lo hice saber a Garfias, a lo que me contestó: "Mira, Guadalupe, si no estás contenta con mi trabajo, si quieres pídele a alguien más que te ayude". No lo podía creer. Eran las 11 de la noche y el operador me estaba diciendo que ya no había nada qué hacer. Desde esa llamada tenía un mal sabor de boca. Era evidente que en esos momentos ya no le podía hablar a nadie. A pesar de la hora, y para tranquilizarme, seguí telefoneando a los promotores. Unos seguían quejándose y otros me aseguraban que ya lo tenían todo bajo control. ¡Viva la simulación!, porque era evidente que ellos y ellas tampoco habían tenido noticias de Garfias.

Estábamos a punto de instalarnos en el Hotel Hábitat, cuando recibí otra llamada. Era Carmen Cárdenas que estaba en el búnker. La escuché muy preocupada avisándome que el *software* para la captura de los votos no corría. "Candidata, le informo que el *software* que se instaló en las máquinas para la captura de los datos de la votación no sirve. Estamos haciéndolo en Excel. Se lo aviso por si alguien le comenta algo. Me apena decirle todo esto, pero es que el búnker apenas se instaló anoche y se han presentado muchos problemas técnicos".

Lo que no sabía es que yo, la candidata, tenía que estar en el bínker observando la operación electoral junto con mi equipo. No sabía que este búnker tenía que tener, por lo menos, cuatro líneas telefónicas habilitadas para hablar a teléfonos celulares; no sabía que debía tener por lo menos 20 computadores con un *software* especializado para procesar la información electoral, y lo que era fundamental, contar con 20 capturistas y personal de apoyo.

¿Qué era lo que había en nuestro búnker, que se encontraba en Tacuba 134? Ocho computadoras, muchas cajas con papelería, ocho capturistas de Garfias y Vianey Lozano, Carmen Cárdenas y Jaime Hernández. Pero lo peor de todo era que no había teléfonos en el búnker. ¿Por qué? No lo sé.

A partir de la llamada de Carmen fui recibiendo muchas más de mi supuesto *staff* durante el día. Cada uno de ellos libraba sus propias batallas, solos, cada uno por su cuenta, al igual que yo misma ¡la candidata! Pero lo que menos quería en esos momentos era transmitir mi nerviosismo a Enrique. Hubiera sido injusto. El sí estaba muy sereno, pero sobre todo, orgulloso de su candidata.

En el Hábitat, donde nos atendieron con toda la gentileza del mundo, nada más nos quedamos un par de horas. Fue Ale quien insistió en que nos fuéramos al Hotel W en Presidente Masaryk, donde ya estaba el resto de la "fórmula mágica". En efecto, allí estaban en la terraza, desayunando unos deliciosos cuernitos, Víctor Romo, Gerardo Zapata, Ana Gabriela Guevara, Jesús Valencia, el joven político sagaz e inteligente con mucho futuro, y otros compañeros del Partido que habían ido a apoyarnos. Todos se veían muy tranquilos, menos yo. Esa mañana Ale estaba particularmente guapa, con su pelo muy esponjado, sus cejas muy pobladas y su sonrisa muy luminosa. Resultaba muy llamativo cómo estaba volcada en su celular, llamándole a todo el mundo y a los representantes que nos informaban de las anomalías o de alguna casilla que no se había instalado, o bien, que no había representantes del PRD.

Lo que no sabíamos Enrique y yo era que teníamos una habitación reservada en el Hotel W. Una vez que nos instalamos, continué con mis telefonemas a los promotores. "¡Vamos muy bien, Lupita!" "Mucha gente nos dice que ha votado por usted" "Me vine aquí a la Pensil para ver cómo está la cosa. Y no sabe las colotas que hay. Aquí todos somos perredistas. Usted, tranquila, Lupita." "De los nuestros, ya casi todos fueron a votar", me decían todos muy eufóricos. Confieso que en esos momentos quise creerles. Tenía que tranquilizarme, aunque bien a bien no podía. Por eso iba y venía al *business center* pletórico de computadoras, periodistas y conocidos del PRD. Todos nos saludábamos con un aire triunfal. En la terraza de abajo estaba Ale atendiendo a mucha gente. El inteligente y sensible Cuauhtémoc Ruiz de Chávez me animaba y me decía que tenía grandes posibilidades de ganar. Poco a poco fueron llegando más amigos y familiares; los de "la pandilla", Antonia y Agustín, Marc y Natalia, Diego y sus cuates, Héctor Vasconcelos, Federico, Ana Lilia Cepeda, Carmen Linares, Gloria Manzur y muchos compañeros del PRD que me habían acompañado en algunos recorridos.

Eran cerca de las tres de la tarde cuando recibí una llamada telefónica Era un amigo priista, amigo a su vez del senador panista Federico Doring, quien le había dicho que según dos encuestas de salida estaba dos puntos arriba de la panista. No lo podía creer. De hecho, no lo quise creer. Prefería seguir esperando sin estar elucubrando respecto a algo tan volátil. Los telefonemas no cesaban. "Los resultados, sin que sean cifras oficiales y esperando que cambien, hasta este momento no son alentadores. Te sugiero que presiones. Veo a Villanueva [asesor de Víctor Romo] echando truenos", me dijo Mary.

¿Presionar? ¿A quién? Después me enteré de que ese día a esa hora y con esas noticias debí haber llamado al PRD. Pero, ¿acaso el Partido no estaba enterado de lo que estaba sucediendo? No entiendo, y sigo sin entender. Sin embargo, ahora me explico todo. Me explico por qué Javier Hidalgo, quien se encontraba muerto de la risa en la terraza del Hotel W con varios compañeros hizo un comentario que desconcertó a todos: "Faltó un *click*…"

¿De qué *click* hablaba? ¿Por qué faltaba? ¿Por qué diablos no hizo funcionar el *click?* ¿Quién era el que operaba ese *click?* ¿Por qué lo decía con tanta ligereza si se trataba de algo muy serio? Seguramente, nunca voy a saber el verdadero significado del *click*. Pero lo que sí supe después fueron sus consecuencias.

Para colmo, Ale recibió una llamada terrible. Una vecina de Torre Blanca, que estaba como representante de casilla, le dijo que estaba siendo amenazada por unos individuos de una camioneta blanca. La vecina le pidió a Ale que mandara una patrulla a esa casilla. Hizo todo lo posible por conseguirla. El tiempo pasaba. La vecina volvió a llamar. Llorando, le dijo a Ale, que los individuos se habían bajado de la camioneta y que la estaban amenazando. La policía no llegaba. Finalmente se presentó con un abogado que sería nuestro apoyo en cualquier incidente. El abogado insistió en que había que levantar la denuncia. Ale se pasó horas en el teléfono tratando de convencerla que denunciara ante el Ministerio Público.

Por otro lado, Mary seguía hablándome: "Ya son las cinco de la tarde. En el búnker y en la casa de campaña el ambiente está muy raro. Pero tranquilízate que todavía falta una hora. Oye, Guadalupe, ¿no te han dado ninguna encuesta de salida? Me llama la atención que no tengas una".

No le respondí. Sólo una pregunta me zumbaba en la cabeza. ¿Y el plan B? ¿Había, realmente, un plan B? ¿Tendría Ale un plan B? Creo que no.

Eran las siete de la tarde cuando un mensajero del hotel me trajo un sobre. Era un reporte de Gloria Manzur en donde me explicaba con lujo de detalle todo lo que había sucedido con el grupo de amigas observadoras:

Nos tuvimos que levantar al amanecer ya que por causas desconocidas para nosotras nunca nos llegó la acreditación oficial para la vigilancia de casillas en el sector Polanco-Lomas de Chapultepec, y obligadamente nos dieron rutas y mapas de la zona que no tenían habilitadas en los planes de vigilancia electoral, eran sólo mapas de ubicación de casillas (pensamos muy acertadamente que los dirigentes del PRD nos tomaron el pelo y nos vieron la cara, quizá les cae mal vernos arregladitas y peinaditas), así que nosotras, las diez mujeres amigas de Guadalupe Loaeza y que gustosamente nos apuntamos para apoyarla, hicimos nuestro propio plan de trabajo de vigilancia electoral el mismo día de la elección.

Antes asistimos a todas las reuniones que sirven como preparación previa y en las que te documentan perfectamente sobre las artimañas que pueden surgir durante la votación, como el acarreo, la propaganda electoral a menos de cien metros de la casilla, el pase de lista, la omisión del nombre del votante en la lista del IFE, el que personas estuvieran vestidas con ropa alusiva al escudo y color de los partidos que competían en ese momento, cómo firmar las actas aunque no estés de acuerdo, antes y después del cierre, quedarte con una copia de las actas, etcétera.

Las amigas que estuvimos presentes éramos: Ana Lilia Cepeda, que gustosamente nos apoyó con su casa como punto de referencia para lo que necesitásemos; todas cooperamos con insumos: llevamos refrescos, tortas, bocadillos, dulces, botana, agua, hieleras, hojas de papel, lápices y nuestros autos. También estaban Carmen Linares de Ojeda experta en dos elecciones anteriores en Tabasco, Eritrea Méndez Garrido, Lucía Wegan, Mali Haddad, Claudia Vega, Patricia Rodríguez Saravia, Laura González Galindo, Sofía Pastelín y su servidora Gloria Virginia Manzur, presidenta de Mujeres en Lucha por la Democracia.

La elección en esa zona la vimos tranquila con la consabida discriminación de la gente de las Lomas con los representantes de casilla de los partidos de izquierda como el PRD, PT y Convergencia, que en algunos casos no los dejaban entrar al garage de la casa en donde estaba instalada la casilla por verlos morenitos y no muy bien ajuareados; a otros no les dieron sillas para aguantar la jornada de casi 20 horas, así que les llevamos sillas; a otros en otro lado no les llevaban agua o comida; a otros no los dejaban entrar al área de la casilla aunque fuese un zaguán de alguna escuela, pero todo eso lo reportamos inmediatamente a los abogados encargados de corregir estas anomalías. También encontramos propaganda del PAN a menos de 50 metros de la ubicación de las casillas, asunto que yo, Gloria Virginia, me encargué personalmente de quitar a fuerza de jalones, pues estaban fuertemente amarradas las pancartas a los árboles o postes de la zona. Vigilantes del partido PAN que cuidaban los alrededores no se atrevieron (aunque les vi la disposición) a impedirme quitar la propaganda, porque la verdad para eso me sale un carácter que me doy miedo.

La gente acudió desde temprano a votar, incluso en el área de Chapultepec, los soldados de Guardias Presidenciales ya habían votado todos y las casillas lucían vacías. En las casillas ubicadas dentro del parque de diversiones de Chapultepec no habían representantes del PRD, PT y PANAL sólo del PRI y del PAN, quizá se aburrieron y se fueron a la montaña rusa pues ya veían venir el fraude que según la rumorología de los mismos vecinos de las Lomas, estaba haciendo el PAN en colonias populares, ya que nos enteramos de que les daban un celular a los votantes y al entregarlo con una foto tomada a la papeleta cruzada sobre el logotipo del PAN les daban 500, 200 o 100 pesos, según el caso y ubicación de la casilla.

La jornada fue cansada pues cada dos horas nos reuníamos para ver qué fallas habían o ir al baño, o ir por más agua y botanas para los que carecían de esos insumos. En una casilla de Virreyes en la que nos bajamos vimos que estaban votando unos albañiles (hazme el favor) gente totalmente ajena al fenotipo de los vecinos, gente que por supuesto no era de ahí, pero que alguien les proporcionó credenciales de elector para inflar la votación.

Al filo de las 3 de la tarde supimos que Guadalupe Loaeza iba dos puntos arriba de su contrincante panista que todo el sector de Miguel Hidalgo tuvo la desgracia de tener como delegada y que inexplicablemente por la noche remontó en la votación.

En el área de Polanco que nos tocó vigilar a Mali Haddad, Claudia Vega y a mí, a los vecinos que nos encontrábamos saliendo de votar les preguntábamos que les parecía la contrincante de Guadalupe y nos hacían comentarios desagradables de ella como delegada sin imaginar siquiera que nosotras estábamos apoyando a Guadalupe. Pensaban que también éramos vecinas del rumbo, bueno Mali sí lo es.

La queja general que recibieron las compañeras fue sobre la discriminación a las personas ajenas al área, quizá querían muchos de ellos controlar quién votaba y quién no, o quién vigilaba y quién no. ¿Qué no se darán cuenta estos vecinos de que muchos son igual de morenos y chaparros que el resto de los mexicanos? ¿O se sienten seres de raza superior por que viven en las Lomas o Polanco? ¡Qué pena me dan!

Al cierre de la jornada nos despedimos para vernos más tarde en el área de cómputo que le ofrecieron a Guadalupe en el Hotel W.

Allí llegamos algunas de las que estuvimos todo el día desde temprano y nos quedamos hasta la una de la mañana viendo con azoro cómo repuntaban los panistas después de las 5 de la tarde. O sea, los votantes nativos que vimos por el día en la zona fueron superados en número por no sé quién, ya que los lugareños fueron a votar temprano como normalmente sucede en estos casos. Siempre queda uno que otro desbalagado por ahí, pero no cientos.

Es increíble que aún suceda esto en México, y que las autoridades electorales se hagan pato finalmente o los veredictos sean ambiguos y aberrantes. Pero aun así, siempre estaré dispuesta a vigilar casillas y más aún cuando compañeras tan queridas, honestas, responsables y luchonas como Guadalupe Loaeza se lancen a la dura batalla electoral por servir a su ciudad o a su país que es México y que se merece a los mejores ciudadanos como dirigentes en la política pública.

Todavía no salían los resultados del IFE, cuando Ciro Gómez Leyva entrevistaba a la panista anunciando su triunfo. Eran las 8:00 de la noche. Ana Gabriela se mantenía en sus habitaciones y no salía. Víctor Romo ocultaba su felicidad porque sabía que era el único de la "fórmula mágica" que ganaría. Gerardo Zapata, acompañado de sus padres, iba y venía por los corredores. Creo que para esos momentos ya sabía que había perdido. Yo estaba desconcertadísima. No sabía qué pensar. "*I am sorry*, Guadalupe. No ganamos, la diferencia es muy grande", me dijo con una voz entrecortada. Enrique se veía pálido, pero quizá en su fuero interno, aliviado. Federico me decía una y otra vez: "Asúmelo. Por algo pasan las cosas". Antonia, mi hermana, le preguntaba a todo el mundo qué pasaba, por qué diablos había perdido. Diego me miraba a lo lejos, como diciendo: "¿Qué te importa? Tú tienes tu vida hecha. Tú estás más allá de todo esto". Tres veces intentó Sofía llamarme al celular y las tres veces le colgué, no quería que me dijera: "Te lo dije. Siempre te dije que ibas a perder".

De pronto, Ale se me acercó y llevándome aparte, me dijo con una voz muy cálida: "Guadalupe, tú eres adicta a la verdad y la política se caracteriza por la simulación. Es muy dolorosa verla de cerca. Las dos fuimos muy *naives*. Además, efectivamente la "joya de la corona", de la que tanto hablaste en tu campaña, no la iban a dejar perder. Siento que en las dos últimas horas salió mucha gente a votar y que han especulado con el voto hasta el último momento. En un mes subiste casi 15 puntos, nadie podía creerlo. Estuvimos en la calle todo el tiempo, y de eso se trata una campaña. Trabajaste disciplinada e incansablemente. Bueno, trabajamos. Cuando pasaba por ti a las cinco de la mañana, allí estabas en la puerta, toda arreglada y perfumada. Nunca me dijiste que no a algún acto de campaña, por agotada que estuvieras. Tú no perdiste, ganó el PAN porque la pobreza es un negocio electoral".

Sus palabras me llegaron hasta el alma, porque sabía que las suyas también habían salido del alma.

Ale estaba deshecha. Estaba a punto de llorar. Ahora tenía yo que consolarla. Le dije: "¿Sabes qué Ale? En realidad, quien hizo el trabajo sucio fue Enrique. Como no me quería perder hizo todo para que perdiera". Las dos nos reímos. Nos abrazamos para luego irnos a cenar al restaurante del hotel. Era una mesa muy larga; allí estaban Ale, Diego, Gloria, Ana Lilia, Carmen, Héctor, Enrique y la ex candidata.

Mientras todos seguían comentando las elecciones, la ex candidata disfrutaba su espagueti a la boloñesa, reflexiva pero sobre todo divertida por haber sido una de las protagonistas de la comedia electoral.

Tercer **acto**

Lo bailado ya nadie me lo quita.
Dicho popular

Tras bambalinas

¿Que te hicieron trampa, mamá Lu?

—Sí, Tomás…

—¿Por qué?

—Porque el partido de mi rival le ayudó a conseguir más votos.

—Y ¿por qué a ti no te ayudó tu partido?

—Porque no teníamos tanto dinero.

—¿Cómo? ¿No tenías dinero o no pasaba tu tarjeta?

—Ay, Tomás, qué cosas preguntas. Además de que no pasaba los votos no se compran. La gente va a las urnas y vota por el candidato que más le gusta. Los que compran votos son unos… unas tramposas…

—¿Y tú por qué no hiciste trampa? Ay, mamá Lu, me tienes que explicar qué cosa es eso de las elecciones.

"¿Qué cosa es eso de las elecciones?", repetí después de colgar el teléfono. Vaya pregunta la que me había hecho mi nieto de tan sólo siete años. ¿Cómo explicarle a Tomás algo tan sencillo y tan complejo a la vez? ¿Qué cosa es eso de las elecciones, especialmente si nos referimos a las de México? A pesar de que participé en las intermedias de 2009 como candidata a diputada federal por el Distrito X, hoy por hoy no podría responderme ni mucho menos a mi nieto. Por eso decidí escribir este libro cuyo título lo dice todo:

finalmente ese proceso que se supone debería ser uno de los más democráticos, es en realidad una comedia electoral.

Confieso que nunca imaginé que al participar en esta contienda en una delegación como la Miguel Hidalgo, la cual es de tendencia totalmente panista, me confrontaría no nada más conmigo misma sino con un mundo cuyas reglas de juego ignoraba por completo. Sí, a pesar de que he seguido muy de cerca, dada mi profesión de periodista y escritora, muchas elecciones desde 1982, jamás pensé que vivirlas como protagonista resultaría tan desafiante, pero sobre todo tan doloroso. "Procura divertirte. No tomes las cosas de manera personal y disfruta lo más que puedas", me decían amigos y asesores. Pero desafortunadamente, en mi caso, no fue así. Ni me divertí ni tampoco disfruté esos dos meses de una campaña intensa, desgastante y adversa. En primer lugar porque en la Miguel Hidalgo las zonas privilegiadas pueden inclinar la balanza, y en segundo, porque una candidata perredista ciertamente no es su favorita.

Lo anterior no nada más lo corroboré con los resultados del 5 de julio, sino también con lo que descubrí que sucedía en la *blogosfera*. Vaya vocablo que significa todos aquellos *blogs* que se producen en Internet y que se interconectan cuando comparten tendencias, música, libros o personas. Igualmente, habría que considerar los medios digitales de Internet, como las páginas *web* de los medios informativos, y en especial las redes sociales como Twitter, Facebook, Hi5, MySpace y muchas más como las estaciones de radio y televisión que están en la Red, así como los portales especializados en información como Terra o Reporte Índigo. Para entender aún mejor la importancia que tuvo Internet en las pasadas elecciones —algo que para mí resultaba totalmente insólito—, me permito transcribir parte de un estudio muy serio que realizó la Asociación Mexicana de Internet bajo el título *Estudio AMIPCI. Hábitos de los usuarios de Internet en México*. Resumen ejecutivo, mayo de 2009:

INTERNET EN MÉXICO

World Internet Project desarrolló en 2008 un estudio sobre el impacto social de la Red en México, proporcionando importante información para comprender los hábitos de consumo de los usuarios mexicanos, que ya suman más de 25 millones. La población total del país es de 103'263,388 habitantes (Conteo INEGI 2005).

- 16.4 % de crecimiento de internautas en 2008 *vs.* 2007.
- 11.3 millones de computadoras con acceso a Internet.
- 3.5 computadoras por cada 10 hogares.
- 51% de las computadoras con acceso a Internet fueron adquiridas en hogares.
- 22.7% es la tasa anual de crecimiento de la base instalada de computadoras personales con acceso a Internet.
- 93% del total de las cuentas instaladas de acceso a Internet son de Banda Ancha.
- 56% de los internautas son hombres.
- El Internet ya es un medio accesible para todos los niveles socioeconómicos (NSE); 44% de los internautas son NSE D+ y DE.
- 63% de las personas de mayores ingresos (ABC+) en México están en Internet.
- El mayor crecimiento de penetración de usuarios de Internet se ha dado en el nivel socioeconómico D+ en el último año.
- 6 de cada 10 jóvenes entre 12 y 19 años son usuarios de Internet.
- El correo electrónico continúa como la principal actividad social *online*.
- Bajar música se ha convertido en la principal actividad de entretenimiento *online*.
- El periódico es el medio de comunicación tradicional más utilizado en Internet.
- 36% de los internautas que juegan *online* son de nivel socioeconómico ABC+. La mitad de ellos tiene entre 12 y 19 años.
- 6% de los usuarios de telefonía celular acceden a Internet a través de su dispositivo móvil.
- El hogar continúa siendo el principal lugar de acceso.

- Las conexiones desde hogar y trabajo son las que reflejan más tiempo. El tiempo promedio de conexión al día en México es de 2 horas con 54 minutos.
- 27.6 millones de internautas en 2008.
- La tasa de penetración nacional de Internet es de 29.7% en mayores de 6 años.
- 18.2 millones de computadoras personales totales en 2008; creció 23%.
- 3.5 computadoras por cada 10 hogares.
- 11.3 millones de computadoras con acceso a Internet; creció 29%.
- En 2008 62% de las computadoras en México están conectadas a Internet.
- México se conecta a Internet por Banda Ancha; 93% del total de las cuentas de acceso son de Banda Ancha (6.4 millones), creciendo un 58%.
- Predominan los hombres internautas, pero se equilibrará en un futuro cercano.
- El medio se democratiza: hay un notable incremento en los niveles socioeconómicos más bajos: creció de 24% a 33% en NSE D+
- 6 de cada 10 jóvenes (12 a 19 años) se conectan a Internet.
- 7 de cada 10 internautas utilizan correo electrónico, 6 de cada 10 mensajería instantánea y 4 de cada 10 "chatean".
- 50% de ellos descargan música, 32% ven páginas de humor y 30% juegan *online*.
- El estilo de vida digital sigue creciendo: 9% utiliza telefonía vía Internet.
- El medio tradicional vía Internet más utilizado son los periódicos con 22%.
- Se acelera el crecimiento de la movilidad digital: de los usuarios de telefonía celular, el 6% utiliza Internet por su celular.
- Internet ya tiene su lugar en el hogar: es su principal lugar de acceso.
- Es un medio de alta exposición: el tiempo de conexión a Internet en México es de 2:54 horas en promedio.
- El *e-prime time* (nivel más alto de conexión) es de 4:00 p.m. a 6:00 p.m.

Fuentes: TGI by Kantar Media Research, México 2008 wave I + II + III v. 01.12.2009. Total de usuarios últimos 30 días. Penetración de internautas contra población total.

Un mes después de las elecciones, al estar frente a la computadora con el objeto de buscar material para este libro, se me ocurrió entrar a Google y poner en el buscador mi nombre asociado al de "Ciudadana de bien", tal como rezaba mi eslogan. ¡Qué barbaridad! Cuál no sería mi sorpresa al toparme con 154 mil resultados los cuales inequívocamente se referían a mi persona durante la campaña. Es decir que del primero de mayo, fecha en que inició la contienda, hasta el 30 de junio, que terminó, los cibernautas, los blogueros, los periodistas y todos aquellos que interactúan en Internet, de alguna manera se referían al tema de las elecciones en la Miguel Hidalgo. Lo más llamativo de todo es que los comentarios, mayoritariamente negativos, estaban asociados a una percepción que aún persiste respecto a mi persona: mi cercanía con Andrés Manuel López Obrador. Es bien sabido que su solo nombre provoca una tensa polarización. No, nunca supuse que mi simpatía por el candidato presidencial por el PRD en 2006 significara, especialmente en esa demarcación, tanta controversia. Seguramente muchos lectores pensarán que lo anterior lo atribuyo a un supuesto "complot". No. Se trataba de una realidad que yo ignoraba y que desafortunadamente afectaba una trayectoria construida durante muchos años. Ahora lamento no haber escuchado a mi equipo cuando me alertaban de una "guerra sucia" en mi contra con el fin de quitarme los positivos que tenía, los cuales me convertían en una buena contrincante para ese distrito. Ahora, a la distancia, me arrepiento de no haberlos escuchado.

No puedo dejar de mencionar, igualmente, la falta de equidad en el acceso a los espacios informativos de los medios con mayor penetración, especialmente hacia los candidatos del PRD. Como, por ejemplo, los publirreportajes, menciones y cápsulas que se transmitieron durante la campaña en el Canal 2, tanto en programas matutinos como *Hoy*, como en noticieros nocturnos como el de Adela Micha. La que particularmente me llamó la atención fue la cápsula que presentó la actriz Alejandra Barros, que en ese momento era la coprotagonista del héroe de la telenovela más vista en el Canal de las Estrellas en horario estelar. Su *rating* de 30 puntos resultaba excepcional. No había persona entre las clases medias y populares que no siguiera, noche a noche, su telenovela preferida: *Alma de hierro*.

Me pregunto cuánto le habrán pagado a la actriz Alejandra Barros por mencionar el nombre en el anuncio, hasta nueve veces, de la candidata panista, entre una lista interminable de virtudes. No hay que olvidar que el tope de campaña que el IFE determinó para diputados federal era de 812,680.60 pesos. Con esta cantidad había que pagar propaganda en bardas, mantas, volantes, pancartas, equipos de sonido, diarios, revistas y otros medios impresos, además de los gastos operativos de campaña como sueldos y salarios del personal eventual, arrendamiento de muebles e inmuebles, transportes, viáticos, así como la producción de mensajes para radio y televisión.

No podemos dejar de mencionar que la regulación sobre la aparición de los candidatos en los medios electrónicos, el COFIPE (Código Federal de Instituciones y Procedimientos Electorales), tenía como objeto hacer un balance equitativo entre candidatos y partidos. Sin embargo, nadie la respetó. Como apuntara Héctor Aguilar Camín en un programa radiofónico: "No ha sido buena la solución que encontraron para los medios electrónicos, en particular, la televisión. Les han quitado dinero, pero en realidad les han dado más poder y han creado un mercado negro y un mercado informal cuyas reglas no conocemos [...] Pasamos de la publicidad política abierta que había, a la publicidad subrepticia. Sospechamos que está allí; tampoco lo podemos saber, pero uno supone que hay este mercado informal".

¿Comprar o no comprar el voto?, he allí el dilema que se presenta en cada elección en México. Es evidente que esta costumbre totalmente antidemocrática no nada más ocurre en nuestro país, también la padecen hasta las democracias más desarrolladas.

Es bien sabido que en nuestro país hay muchas maneras de comprar votos: desde con un tinaco hasta con un seguro de gastos médicos. "Señora, si me consigue un tinaco yo le doy ocho votos", me dijo un señor al oído mientras me encontraba distribuyendo mis volantes frente al club deportivo Pavón en la colonia Pensil. No había duda de que este ciudadano no tenía los mil pesos que cuesta un reservorio. "Después del 5 de julio, búsqueme y yo le regalo uno", le dije como para que no se fuera tan decepcionado. Me miró como diciendo: "Mejor me voy con el candidato del PRI, ellos sí saben de qué hablo y de qué se trata esto". Días después, una vecina de la colonia Anáhuac me comentó que alguien le había llamado de la Delegación Miguel Hidalgo: "Señora, de parte del candidato para delegado le queremos preguntar si quiere un seguro médico por tres meses, totalmente gratis". Según doña Lupita le dijo que no, que para nada, pero resulta tan seductora la oferta que seguramente le dijo que sí, que cómo no. Lo entiendo. Los vecinos de las colonias populares tienen tantas necesidades básicas que ese tipo de obsequios no se pueden rechazar. Pero también hay que entender que la inequidad en esos casos es apabullante. Yo no tenía manera de contar con un padrón de los vecinos de esas colonias ni mucho menos tenía recursos para ofrecer tales servicios.

Si de alquimistas electorales hablamos, no hay duda de que los mejores del mundo fueron los priistas. Ellos podían transformar cualquier resultado a su favor. Allí están centenas y centenas de ensayos y libros escritos por historiadores y politólogos donde nos narran fraudes electorales, incluso cometidos por el mismo don Benito Juárez. El doctor en historia e investigador del CIDE, José Antonio Crespo, nos explica con toda claridad en su libro *Contra la historia oficial* (Random House Mondadori) que el Benemérito de las Américas estaba muy apegado a la silla presidencial, tanto que sólo su muerte consiguió que la dejara. "Estas chambas no se sueltan, Manuelito", le decía a Manuel Ruiz, su Secretario de Justicia.

En la página 232 del libro citado líneas arriba leemos, no sin sorpresa, lo que escribió el autor:

En 1871 Juárez había logrado maniobrar en el Congreso, no precisamente de manera limpia y transparente, a modo de reelegirse una vez más. Como su elección no resultó clara, contundente e inobjetable, sino producto de las malas artes, don Benito fue acusado de dictador por antiguos partidarios suyos. Ganó, de acuerdo con los datos oficiales, con 93%, cifra de por sí sospechosa (de carácter más bien soviético). Las caricaturas de la época lo dibujaban como un hechicero haciendo pociones y pócimas electorales, es decir, como un "alquimista electoral" consagrado. El general Ireneo Paz (padre de nuestro premio Nobel de Literatura) dedicó a Juárez estas filosas coplas.

> ¿Por qué si acaso fuiste tan patriota
> Estás comprando votos de a peseta?
> ¿Para qué admites esa inmunda treta
> de dar dinero al que en tu nombre vota?

Y ya narrando la jornada electoral de ese año, el mismo Paz escribió: "Por todas partes las casillas electorales se vieron custodiadas por la fuerza armada para que no fueran molestados los agentes del poder en su encargo de simular una elección; por todas partes se vio lo que después se ha seguido viendo con demasiada frecuencia, esto es, que el pueblo, el verdadero, era privado de su derecho sacratísimo de votar, y que era suplantado descaradamente por los empleados, por los militares y por todos los demás que recibían un premio en dinero sacado de las arcas públicas, por cometer aquel negro delito de lesa democracia.

¿Cómo explicarle todo lo anterior a mi nieto Tomás?

A pesar de que la compra de votos resulta ser una costumbre en todos los partidos muy arraigada en nuestra idiosincrasia, resulta sumamente complicado probarlo y, aún más, impugnarlo. "¿Por qué no impugnaste la compra de votos?", me han preguntado muchas veces. No puedo probar nada a pesar de que muchos vecinos de las colonias populares me han entregado fotos e incluso grabaron testimonios. Pero cuando llega el momento de presentarse ante la autoridad se desdicen o, lo que es peor, lo niegan, por presiones de sus mismos vecinos o líderes. En otras palabras, todos, todos, están involucrados: vecinos, operadores y promotores del voto, líderes, candidatos, pero principalmente, partidos políticos.

La forma de atraer votos en beneficio de un candidato tiene nombre, incluyendo tácticas como la "movilización", palabra mágica que empecé a escuchar al igual que "la promoción del voto", lo que equivale al "acarreo".

He aquí cómo se instrumenta la operación, el día de las votaciones, de los imprescindibles promotores del voto:

1. Proveerlos de transporte o de gasolina.
2. Darles 100 pesos para su comida.
3. Un teléfono celular.
4. Dos tarjetas de teléfono.
5. Tres botellitas de agua.

Lo importante es tener a muchos, muchos "movilizadores" para implementar las diferentes tácticas de los líderes vecinales, expertos en "movilizar" y en asegurarse de que la preferencia electoral se incline hacia el candidato con el cual se ha hecho el compromiso; "ya estamos amarrados", dicen cuando ya está cerrado el trato.

El excusado

Nunca se me olvidará una reunión que tuve el 5 de junio en la casa de campaña, al mediodía, con una líder vecinal muy influyente entre los líderes y los vecinos de las colonias populares. Iba acompañada de su hijo como de 25 años, quien asentía cada vez que su madre, de una corpulencia de casi 120 kilos, de pelo muy corto pintado de un rojo intenso, hablaba. Moviendo constantemente sus manos de uñas larguísimas pintadas de blanco nacarado, la lideresa me dijo con voz aguardentosa: "Mire, Lupita, sí la vamos a apoyar. ¿Verdad *m'ijo* que la vamos a apoyar? Pero, para movernos, necesitamos recursos. Si quiere usted contar con 3,500 votos tenemos que mover a 1,600 promotores. Operar cada voto nos va a costar $1,100 pesos. Es decir, $800 por representante de casilla, $200 por coordinador y $100 para los monitores, esos que están monitoreando que el número de gentes prometido acuda a la casilla. En otras palabras, Lupita, necesitamos $4 millones de pesos. ¿Es eso lo que se necesita, verdad *m'ijo*?" El hijo asentía con la cabeza a la vez que veía a su madre con toda la ternura y admiración del mundo.

No lo podía creer. Estaba yo siendo testigo, de carne y hueso, de un acto de corrupción flagrante. ¿¿¿Cómo se responde a una propuesta de ese calibre??? ¿¿¿Qué hago: corro a la señora, grito, pido auxilio, la denuncio, lloro, me retiro indignada, me aguanto, me muero de la risa, me desmayo, vomito, me tiro de cabeza por la ventana, le pido que me repita todo lo que me dijo para grabarla, la insulto, llamo a la policía, le pido su autógrafo, la retrato con mi celular, le pregunto si no se equivocó de candidata, me hinco y le pido perdón por ser honesta, la invito a comer a la *Casa Portuguesa*, me vuelvo su socia, le pido que me integre a su equipo de promotores del voto, o bien le digo que me espere mientras busco una hipoteca???

Lo que más tristeza me daba de nuestro encuentro era el papel de comparsa del hijo. Vestido con unos *pants* deportivos y con una gorra blanca, actuaba como el marido de su madre, como cómplice, como guarura y como alguien aburrido de escuchar la misma propuesta hecha por la lideresa cada tres años.

He de decir que ésta fue la primera entrevista de varias que tuve con otros líderes. Todos tenían el mismo parlamento. Todos comenzaban de la misma forma: "Mire, Lupita, sí la vamos a apoyar…" A partir de esas reuniones empecé a tener una extraña sensación. Cada vez que alguno de estos líderes venía a verme a mi oficina tenía la impresión de que me metían la cabeza en un excusado que no había sido limpiado (léase jalado) en muchos días. El hedor a mierda me acompañó buena parte de mi campaña.

Luego, me pregunto: ¿cómo acusar de fraude a la misma ciudadanía? Según Ricardo Raphael, profesor investigador del Centro de Investigación y Docencia Económicas (CIDE), existen 50 mil promotores del voto que trabajan para el sindicato de la Secretaría de Educación Pública y lo hacen porque su trabajo está de por medio; este hecho resulta alarmante porque esta agrupación tiene más presencia sistemática pagada que el IFE o cualquier empresa transnacional en nuestro país. ¿Actuarán de la misma forma los otros sindicatos?

5 de julio

El día de las elecciones lamentablemente me di cuenta de que las propuestas se olvidan; los recorridos casa por casa quedan atrás; los discursos se borran; las atenciones y las promesas se evaporan; los compromisos contraídos en las asambleas son aplastados y los acuerdos firmados ante notario pierden su importancia. Según la contienda y el valor estratégico de la plaza, el valor del voto puede ascender a precios estratosféricos. En las pasadas elecciones el voto en la Miguel Hidalgo llegó a costar entre $300 y $1,500 pesos. ¿Que cómo lo sé? Porque después de las elecciones muchos ciudadanos me buscaron, decepcionados por los resultados, para decirme: "Yo no acepté, Lupita. Yo sí voté por usted." ¿Hablaban con la verdad? No lo sé. No faltaban aquellos que me comentaban cosas como: "Si usted hubiera conseguido de tres a cuatro millones de pesos, ganamos" ¿A quién creerle?

Por otro lado, me pregunto: ¿de dónde sacan tanto y tanto dinero los candidatos que triunfan por arriba de la expectativa que marca la tendencia electoral? Todavía hasta ahora lo ignoro. No deja de sorprenderme cómo obtuve 36,357 votos, por los cuales no pagué ni un solo centavo. ¿Debo entonces felicitarme por esos ciudadanos democráticos que sí votaron por mí a cambio de nada? ¿Dónde están? ¿Quiénes son? Los quiero conocer y darles las gracias personalmente. Les quiero decir que tengo un compromiso con ellos y que aunque no gané, yo sí voy a volver.

El dinero que me asignaron de acuerdo a mi tope de campaña fue de $812,680.60 pesos, de los cuales ya me habían descontado

$300 mil pesos por propaganda realizada por el PRD nacional. Era evidente que con lo que me restaba, es decir, $512,680.60 pesos, no me alcanzaba para nada. Créanme o no, hubo semanas en que no tenía ni para pagar mi celular, y menos los de mi equipo. No me quejo, constato, que en mi caso yo no era un buen negocio para muchos líderes.

La simulación, que significa "hacer uso de la mentira para lograr que otros consientan en ocultar la verdad, con el fin de perjudicar a un tercero", es lo que predomina en una campaña. Muchos vecinos y líderes simulaban estar de mi lado, cuando en realidad ya habían pactado su apoyo para otro candidato. Así fue. Por los escenarios que observé y las conductas de muchos de ellos, constaté lo que todo el mundo sabe, que las elecciones en México representan una perfecta comedia electoral.

El diván

Antes, durante y después de la campaña, recibí muchos correos electrónicos en los que me hacían una serie de preguntas, que iban desde por qué era candidata del PRD, hasta si estaría dispuesta a postularme otra vez.

Es obvio que no tuve tiempo de contestarles a todos, ni mucho menos estaba preparada anímicamente para hacerlo. Ahora que han pasado tres meses desde aquel domingo 5 de julio de 2009 y que veo las cosas con más serenidad, intentaré responder a muchas de esas preguntas, pero sobre todo aprovecharé el cuestionario para esclarecer muchas de mis dudas.

Imaginemos a la ex candidata recostada en el diván, mientras responde con sinceridad a lo que 90 días atrás era incapaz de argumentar.

¿Cuáles fueron tus motivos para lanzarte como candidata para diputada federal por el Partido de la Revolución Democrática?

Vayamos por partes. Acepté la candidatura como diputada por las ganas de hacer algo por mi país. Recuerdo muy bien una frase que me dijo Alejandra Barrales cuando me invitó a participar: "Tú puedes influir para que las cosas cambien en este país. Como diputada federal tú puedes hacer modificaciones a las leyes". Y esa perspectiva me impulsó a aceptar la responsabilidad. No fue por el salario ni mucho menos por el poder. También lo que me motivó a aceptar fue el hecho de ser candidata ciudadana, porque considero que las estructuras de gobierno deben ciudadanizarse. Al llegar al Congreso hubiera dado la batalla desde adentro para que hubiera más candidatos ciudadanos. El sistema político mexicano está tan desacreditado, la clase política está tan deteriorada y desprestigiada que pensé que era una buena posibilidad de reparar lo que a veces nos parece irreparable, como por ejemplo, la impunidad. Creo que la corrupción es un cáncer en este país. Para que la gente comience a creer en la clase política y la participación ciudadana sea cada vez mayor, tenemos que recuperar la confianza y la credibilidad. Por todo esto me lancé a pesar de todas las deficiencias que conocía, no tan a fondo, del sistema electoral. Créeme que no me arrepiento, el caso es que me lancé. Como decía, doña Lola, mi madre: "Tú di que sí, luego averiguas".

Pero, ¿por qué por el PRD?

Aunque no soy militante de ningún partido, siempre he simpatizado con la izquierda. No fue casual que desde que empecé a escribir, en 1982, lo haya hecho en un periódico de oposición como *UnomásUno*. He sido una activista ciudadana: fui miembro del Grupo San Ángel; participé en el referéndum para tener un Jefe de Gobierno. Siempre he estado por las causas de las mujeres. Por increíble que parezca, mi padre fue fundador del PAN y, bueno, yo tomé otro camino. Coincido mucho con la plataforma ideológica del PRD por humanista, porque defiende la equidad y busca la justicia social, pero a veces difiero de la forma rijosa de algunos compañeros. No podemos seguir siendo la izquierda minoritaria del país y menos en el Congreso. No podemos permitir retrocesos como sucede respecto a la despenalización del aborto. Hay cerca de 14 estados que ya echaron la ley para atrás. Es muy importante que sumemos más voces en la izquierda para contrarrestar a la mayoría que está por penalizar a las mujeres que se practican un aborto.

Creo que no eres ni la primera ni la última persona de cierto renombre público que habrá sido lanzada al ruedo de una manera totalmente improvisada. ¿Por qué consideras que se da en nuestro país con tanta frecuencia este fenómeno de lanzar a candidatos que no están totalmente preparados? ¿Qué sucede en nuestro país, no sólo en el PRD, *sino en todos los partidos, donde se improvisa de la noche a la mañana a candidatos? ¿Qué es lo que pasa?*

Sin duda hay una utilización de estos personajes. Pongamos el ejemplo de María Rojo, una actriz muy prestigiada que tuvo unos éxitos formidables en películas como *La tarea*, y en el teatro. María tenía un lugar dentro del medio artístico mexicano. Y se lanza como diputada. Finalmente resultó ser una espléndida legisladora. Hizo mucho por el cine mexicano, por el teatro; impulsó muchas iniciativas que después se volvieron ley. Es una legisladora creativa, imaginativa, y por si fuera poco, sigue actuando.

¿Por qué no te fuiste por el camino más sencillo, es decir, por una plurinominal?

De hecho, Alejandra Barrales me invitó para una plurinominal. En el *Primer acto* de este libro lo explico muy bien. Y soy yo la que toma la decisión, incluso sin consultar a mi marido ni a familia, de participar en la contienda electoral por votación directa.

Hubieras podido seguir como periodista y comentarista sin lanzarte a una campaña política en la que incluso las dos cosas pueden contraponerse, es decir, que al comprometerte con el PRD y lanzarte a la candidatura por la diputación perdiste cierta posibilidad de independencia intelectual que hubieras podido conservar como escritora y comentarista, ¿ése es uno de los costos?

Sí, desde luego pierdes distancia, y claro que hubiera sido un costo. Yo nunca dejé de escribir durante la campaña; hablé con los directivos del periódico y me dijeron: "Adelante". Muchos candidatos lo han hecho así. En ese sentido, el periódico *Reforma* siempre ha sido muy tolerante en tanto no hagas proselitismo desde tu espacio, lo cual no hice. Durante la campaña procuraba hablar de otros temas, pero claro que si hubiera ganado habría sido distinto.

¿Qué significa candidatura ciudadana si tú te lanzaste por el PRD?
Yo no soy militante del PRD.

Pero te lanzaste por el PRD...
Sí, porque no te puedes lanzar si no tienes partido y el único partido que abrió sus puertas a las candidaturas ciudadanas fue el PRD.

¿Sigues manteniendo algún proyecto político?
Por lo pronto político, no. Un proyecto social, sí.

¿De qué dependerá tu decisión en el futuro de lanzarte o no a una nueva campaña política?
Si me lanzo de nuevo a una campaña dependerá de las circunstancias que rodeen mi vida en esos momentos. Esta campaña tuvo muchos costos para mí. Hubo más decepciones que gratificaciones. Me encontré con demonios y con ángeles. Sin embargo, fue muy interesante; como ciudadana aprendí mucho, pero también me decepcionó que la política mexicana esté marcada por la simulación. Es como estar en un baile de máscaras: te sacan a bailar pero no sabes con quién estás bailando. En lo que se refiere a la democracia, en México estamos todavía en pañales. Los programas electorales

dejan mucho qué desear. El IFE no es una garantía. Para lanzarme de nuevo tendría que aceptar las reglas del juego y renunciar a muchas cosas que son importantes en mi vida, como por ejemplo dejar mucho tiempo solo a mi marido, la escritura de mis libros, pero sobre todo, dejar a mis lectores. Ellos son mi otra familia.

¿Consideras ahora en retrospectiva que fue un error haberte lanzado?
Creo que fue una experiencia que tenía que vivir para comprender un mundo con el que de alguna manera siempre he estado relacionada. No obstante, reconozco que hubo errores. Muchos. Dicho lo anterior, no hay que olvidar que Miguel Hidalgo es un distrito muy difícil. El PRD nunca ha ganado ahí ni para delegados ni para diputados; es un distrito de derecha. Ahí vive el Presidente. Esta delegación es la joya de la corona y por lo tanto es muy peleada.

Precisamente por lo que acabas de decir hubiéramos podido pensar que una mujer de tu extracción, con tu background, *tenía más posibilidades de ganar entre gente de clase socioeconómica y de cultura más o menos igual a la tuya. ¿Por qué no ganaste en las zonas residenciales?*
Porque rechazan el perredismo. Si en esas áreas pronuncias el nombre de López Obrador es como si los agredieras. La opinión respecto a la izquierda está muy polarizada. Si a lo anterior le agregas que allí viven los muy pobres y los muy ricos, la polarización es aún mayor. En mis recorridos me di cuenta de algo muy curioso: cuando te refieres a López Obrador en las colonias populares es como si hablaras de Gandhi. Para este sector, López Obrador es el único que piensa en ellos, en los programas sociales que los benefician. Con lo único que viven las personas de la tercera edad es con la pensión que les ha dado el líder de la izquierda. Pero si mencionas a este líder en las colonias residenciales, el rechazo es un acto reflejo.

Se dice que para ser un político exitoso hay que tener cierto grado de narcisismo, cierta coraza emocional, hay que estar dispuesto a jugar sucio, a deberle favores a gente a quien normalmente no le darías ni los buenos días. O sea, hay que estar dispuesto, o dispuesta, a una cantidad de sacrificios de orden ético. ¿Estarías de acuerdo con esta proposición?

No. Sin embargo, es cierto que se requieren esas características, que ciertamente no tengo ni estoy dispuesta a aprender.

¿O sea, temperamentalmente dirías que ésta no es una profesión idónea para ti?

Absolutamente.

Con lo cual debo concluir que no tienes más ambiciones políticas.

Sí y no. Te queda el gusanito. El gusanito siempre está allí. No se puede minimizar el hecho de haber obtenido 36,357 votos.

¿Sobre cuántos en el distrito?

Para diputada federal el PAN obtuvo 52,772 votos; el PRD, 36,357; el PRI, 23,085; el Verde, 10,484; el PT, 5,546; Nueva Alianza, 4,116; PSD, 2,564; Convergencia, 1,805; la candidatura común, 352; candidatos no registrados, 659. Y finalmente, votos nulos 15,220.

¿Cuántos en total?

Según estimaciones basadas en el último censo del INEGI, en la Miguel Hidalgo hay 227,143 ciudadanos en edad de votar, de los cuales sólo votaron para diputados federales 152,960. Lo demás fue abstencionismo.

¿Cuál fue tu porcentaje del total de la votación?

14%. No obstante, represento la segunda fuerza política en la Miguel Hidalgo. Se dice fácilmente, pero a pesar de mis limitaciones, a pesar de la falta de herramientas, de dinero, de equipo, de estrategia, de agenda, de brigadas, de todo, no está mal. Sobre todo si consideras que en las elecciones federales la ley prohíbe las coaliciones. No estuvo mal tampoco si consideras que en 2003 el

PRD obtuvo para diputado federal 28,414 votos. Sin embargo, en 2006 por el "efecto López Obrador" el candidato logró 80,248 votos. Este resultado tiene una explicación: en ese año hubo más participación de la esperada, el 67%. Y en las recientes elecciones intermedias votó el 35% solamente.

¿Qué porcentaje de ese resultado no tan exitoso te corresponde a ti? Diría que el 20%.

Es decir, ¿si analizamos las razones por las cuales Guadalupe no ganó una diputación, el 20% le corresponde a Loaeza?
Quiero pensar que así fue. Un 20% le corresponde al Partido; el otro 20% a los operadores políticos; otro 20% a los promotores del voto; 20% más a la falta de equidad. Y el restante 20% es mi responsabilidad. Ahora bien, no olvidemos el "factor Juanito". Después de lo que sucedió en Iztapalapa mi candidatura bajó más de 10 puntos. Me desplomé en las zonas residenciales.

¿Es cierto que para ti la campaña significó una gran soledad? ¿Podrías abundar un poco más sobre el tema?
En primer lugar, me gustaría mencionar la soledad que embargó durante la campaña a Enrique, mi marido. No fue sino hasta que ésta terminó que me di cuenta de qué solo se había sentido y había estado. Hemos hablado mucho de este desencuentro involuntario y creo que afortunadamente ya superamos ese bache. Por lo que a mí toca, como candidata en esas circunstancias se requieren muchas adhesiones, adeptos, es decir, necesitas porras. Todo esto te fortalece. Yo desconocía, por ejemplo, la importancia que tienen las redes sociales en una campaña. No olvides, y ya lo he dicho mucho, que en esta demarcación hay mucho rechazo hacia el PRD. Yo pensaba: "Pero, qué barbaridad, cuánta falta de solidaridad por parte de mis cuates". Incluso sentía lo mismo familiarmente, porque de toda mi familia soy la única simpatizante del PRD, incluyendo a mis amistades. Sin embargo, sentí mucho apoyo por parte de mi hija Lolita, quien me hablaba todos los días para echarme

porras y darme consejos; también de Diego, con quien comía muy seguido, ya que su oficina estaba cerca de la casa de campaña. A él le contaba con una enorme confianza todas mis vivencias. Y qué decir de Federico, que se convirtió en mi principal consejero. Sus correos, aparte de alegrarme, me alimentaban. Ahora que recuerdo, cuando mi equipo me encontraba muy estresada o deprimida, decían: "Hay que llevar a la candidata con sus nietos". Es cierto, en esos momentos eran como un bálsamo para mi corazón. Igualmente, te puedo decir que dos de mis hermanas, Antonia y Natalia, me organizaron desayunos, lo cual les agradecí mucho porque no son nada perredistas. Pero por lo que se refiere a mis colegas, es decir, al gremio periodístico, no me apoyó como yo esperaba, salvo algunas excepciones.

¿El gremio periodístico?

Especialmente las mujeres, las mismas que siempre se están quejando porque faltan gobernadoras, senadoras, diputadas. Nunca entendí por qué mis amigas feministas no me apoyaron.

Quizá parezca obvia la pregunta, pero me gustaría conocer tu opinión. ¿Por qué consideras que debería haber más diputadas, senadoras, delegadas, gobernadoras?

Porque la mayoría de los votantes del país son mujeres y se debe equilibrar la representación de ambos sexos. Las mujeres pueden inclinar la balanza de una candidatura a favor o en contra, de ahí que ahora los políticos estén pidiendo el voto de las mujeres. Siento que las mujeres han hecho un espléndido papel como gobernadoras, legisladoras, asambleístas. Tenemos casos como el de Amalia García, que es una excelente gobernadora de Zacatecas, o el de Ifigenia Martínez, una gran economista. No podemos dejar de mencionar a Beatriz Paredes. Somos muy poquitas en el Congreso, nada más hay 141 mujeres, lo que equivale a 28.2%. No es nada. Por eso me indignó tanto la actitud de las mujeres elegidas que abandonaron la curul para dársela a sus suplentes varones.

Tú apelas a cierta solidaridad femenina. ¿Crees que las mujeres que forman la opinión pública: escritoras, intelectuales, políticas, candidatas, debieron haberte apoyado por el solo hecho de ser mujer? ¿Qué entiendes por esa solidaridad de género?

Esto se relaciona con la pregunta anterior respecto a la soledad que sentí en la campaña. En efecto, me sentí muy sola por la falta de apoyos de familiares y amigos. No sé por qué no hubo respuesta por parte de las feministas; salvo Sabina Berman, que fue más que generosa, las demás me regalaron su silencio. Yo lo viví como un desdén, como que no les importaba mi campaña. Muchas de estas comunicadoras que se ocupan de la política, que son de izquierda, que les preocupan los derechos de la mujer, los programas sociales, la cultura, no apoyaron la contienda que yo estaba peleando. Te confieso que eso sí me dolió. Me llamó mucho la atención que no hubiera un ápice de solidaridad. Tal vez no les guste como política, no les guste mi partido, pero yo daba por sentado que había una amistad, una relación entre ellas y yo. A muchas las conozco desde hace cerca de 30 años. He convivido con ellas. Las he apoyado en las buenas y en las malas. Pero aquí lo más llamativo es que tampoco apoyaron a Laura Esquivel, una escritora que ha vendido millones de libros. Como dijo Carlos Fuentes en Estados Unidos: "Laura Esquivel vende más que yo". Estamos hablando de una candidata por Coyoacán, donde muchas de ellas viven. Tampoco apoyaron a Ana Gabriela Guevara que fue campeona, que rompió el récord de los 400 metros planos. Éramos tres mujeres cuyas trayectorias no podían dejarlas indiferentes, las tres teníamos una presencia pública muy notoria en nuestros diferentes campos: Laura en la literatura, Ana Guevara en el deporte y yo en el periodismo. Curiosamente este grupo de mujeres feministas que escriben en los periódicos, que tienen programas de radio, que muchas de ellas son líderes de opinión y cuya voz es tomada muy en cuenta, no voltearon hacia nuestras campañas. De nuevo las emociones, que son las que siempre me traicionan, pero es que fue muy doloroso. "Sinceramente nunca se me ocurrió", me dijo una de ellas.

Me surge esta duda: de las tres candidatas que mencionas ninguna de ellas había tenido una trayectoria política, y es posible que ésa haya sido la causa por la que no las tomaron en cuenta y no por el hecho de ser mujeres. Pongamos un ejemplo: si Beatriz Paredes o Ángeles Moreno se hubieran lanzado a una candidatura, habrían tenido más presencia en los medios porque son mujeres con una trayectoria política previa.

¿Será?

Yo creo que ésa fue la causa.
¿Y la amistad y la solidaridad?

Tienes razón, porque entre los hombres sí juegan la amistad y la solidaridad.
Así es.

Hay muchos, muchísimos hombres que se han lanzado a carreras políticas que sí se aprovechan de sus redes de amistades, de los compromisos contraídos, de los favores que se deben, etcétera, y parece que entre mujeres eso no se acostumbra, ¿por qué?

En relación con las mujeres, y en especial con mis amigas, no lo sé. Pero debo decirte que entre mis colegas hombres sí tuve respuesta. Por ejemplo con Agustín Basave, Ramón Beteta, Ricardo Raphael, Nino Canún, Andrés Roemer, Ernesto Lammoglia, Javier Solórzano, Pepe Cárdenas, Salvador Camarena, Sergio Uzeta, Jorge Zepeda Patterson, Darío T Pie (actor), Ricardo Alemán, Fernando del Collado y Alberto de Tavira, Alfredo Palacios, Eduardo Farah, José Rockero, Juan Álvarez, Alejandro Álvarez, Carlos Puig, Fernando Botero, Humberto Musacchio, Jairo Calixto Albarrán, Jesús Javier García y Luis de Uriarte, Jorge Luis Feher, Joaquín Vargas, Jorge Romo, José Antonio Crespo (me presentó en la *Hacienda de los Morales*), José Woldenberg, Julio Hernández, Lázaro Ríos, Leo Zuckermann, René Delgado, Ricardo Rocha, Pablo Marentes, Sergio Aguayo (me acompañó al cierre de campaña en *El Lunario*), Emmanuel Trinidad (Terra), Ernesto Velázquez, y William Booth (*The Washington Post*).

Todos ellos han obtenido puestos importantes por pertenecer a un gremio y por cierta solidaridad amistosa y política.

Incluso si es por un interés personal, es válido ser solidario en un momento específico.

Entonces podríamos plantear esto como una pregunta abierta a las mujeres politizadas de México: ¿por qué no apoyaron las candidaturas de las tres mujeres que se presentaron en las pasadas elecciones?

De acuerdo. Dejémoslo como pregunta abierta.

¿A partir de la llamada telefónica de Alejandra Barrales, qué harías diferente?

En primer lugar hablaría con mi marido; discutiría más a fondo el hecho de lanzarme a una candidatura.

¿Y si tu marido no estuviera de acuerdo?

Lo convencería. Le diría que la candidatura es parte de mi trayectoria, que he escrito mucho acerca de eso, que he seguido los procesos electorales de mi país, que puedo hacer muchas cosas y que va a ser muy divertido. Que si pierdo, podré escribir de la experiencia. Y que si gano, será un privilegio llevar la voz de los ciudadanos al Congreso.

¿Qué otra cosa harías distinta?

Me prepararía más para ser una mejor candidata y sería más incluyente. Leería más.

¿Leer qué, por ejemplo?

Sobre los problemas de mi país, sobre el desarrollo de una campaña, sobre asuntos económicos. Me prepararía mucho mejor en todas las áreas, no sólo en imagen pública. Investigaría sobre problemas tan importantes como el desabasto de agua, la inseguridad, la pobreza. En suma, me informaría sobre los temas que preocupan más a la sociedad.

¿Qué otra cosa harías diferente?

Cambiaría de actitud, trabajaría en equipo, porque me di cuenta de que no sé trabajar en equipo. Siempre he sido mujer orquesta, por eso me cuesta mucho trabajo delegar. Escucharía más a mi equipo, tomaría en cuenta su experiencia y construiría una mancuerna exitosa. Intercambiaría con ellos ideas, opiniones, en un debate constructivo. Tuve, creo, una actitud muy lejana, estuve como rebasada como candidata. No teníamos agenda, no había plan, eso lo hace el equipo; además, el coordinador no actuó como debía porque se decidió que mi suplente lo reemplazara porque él no podía hacer las dos funciones, era mucha carga de trabajo.

¿Cambiarías en algo tu relación con el partido?

Exigiría más, me daría más mi lugar. Actué agradecida porque se habían fijado en mí, como si me hubieran hecho un favor. Nunca puse mis condiciones y tienen que existir éstas de parte del candidato porque, entre otras cosas, está exponiendo su prestigio.

¿Harías algo diferente con los grupos de mujeres, por ejemplo, o con los demás candidatos?

Hubo mucha colaboración con los candidatos, con Víctor Romo, con Ana Guevara incluso; desde el principio la consideré muy buena candidata, le tomé mucho respeto a pesar de que somos muy distintas. Lo mismo sucedió con Gerardo Zapata, candidato para diputado local para el Distrito XIV. De él aprendí mucho sobre la Delegación y el manejo administrativo.

En relación con los grupos de mujeres, las feministas, ¿harías algo diferente?

Tal vez las convocaría y ante ellas me asumiría con más claridad como candidata. Les pediría su ayuda de una manera afectuosa, respetuosa, les diría: "Échenme la mano, ayúdenme, entrevístenme, critíquenme". Sobre todo porque yo parecía una niña asustada en la campaña. Me pondría más mis moños; nunca me los puse. Nada más me enojaba y gritaba, nunca actué como una candidata. No tuve preparación, pues a las dos semanas de que me habló el Partido empecé el trabajo de la campaña. No participé en una campaña interna; Ana Guevara, sí. Ella tenía más conocimiento y fogueo, tomó varios cursos antes que yo. Me sentía en la mira, con un juicio terrible.

¿Qué otras cosas cambiarías?
Trataría de disfrutar más la experiencia. Creo que no lo hice por todos los errores que se cometieron. Pediría apoyos con más seguridad, más madurez, porque en las campañas pides apoyos de todo tipo. Algunas veces sí los pedí pero siempre con algo de culpa.

¿Incluyendo apoyos económicos?
En principio eso no se debe hacer. Hay muchos tipos de apoyos y se fiscaliza todo, hay topes de campaña y ahí el IFE es muy estricto. A mitad de la campaña me hicieron una auditoría de la que salí bien librada; la selección fue aleatoria, aunque no estoy segura de qué tan aleatoria.

¿Alguna otra modificación?
La actitud. Mi actitud no fue muy adecuada, porque una campaña es una experiencia muy enriquecedora, conoces a la gente, escuchas sus problemas. Eso se disfruta mucho. El contacto con la gente es muy bueno, los recorridos a ras de tierra. Pero por otro lado, tenía mucha culpa en las Lomas y en Polanco por ser del PRD, porque ahí la actitud hacia el partido es muy mala.

¿Te deslindarías más de AMLO?
Consolidaría más mi posición de izquierda, mis argumentos. Mi amigo Héctor Vasconcelos generosamente organizó una reunión con sus amigos, donde me vi muy torpe, me ganó la emoción. Me quería justificar, precisamente, por mi relación con López Obrador. Esa actitud perenne de querer justificarme no fue muy buena. Después de la reunión recibí una nota de una amiga que había estado allí, en la que me decía: "Sentí que ante cada pregunta tenías miedo, te vi rebasada, abrumada. Te sugiero que milites formalmente en el

Partido porque esa ambivalencia te daña mucho". Entonces pensé que quizás debía registrarme como militante. Pero, por otro lado, el hecho de ser candidata ciudadana, independiente, me dio mucha fuerza.

El peor y el mejor momento de tu campaña.

El peor, el debate en el periódico *Reforma*. No escuché a mi equipo, no fui preparada, no sabía que había un post debate, el cual es importantísimo. El problema fue que tuve muy pocos días para prepararme. Tuve que arrancar la campaña en mitad de la crisis de la influenza. En el debate me sentí mortificada, me sentí en el interior de un túnel sin salida. ¡Fue horrible!

El mejor momento fue a partir del segundo mes. Ya visualizada como candidata empecé a tener más claro todo. Planteaba mis propuestas con más claridad. Las entrevistas empezaron a fluir muy bien. Ya no estaba tan insegura. Un evento especialmente bueno fue el organizado por Hilda Bahena, una líder de mujeres. En un desayuno frente a 300 mujeres les hablé desde el corazón, desde mi condición de mujer, sentí que les hablaba con convicción, con cercanía. Fue un discurso que me salió del alma, ya asumida como candidata.

¿En este momento piensas continuar con tus aspiraciones políticas?

Sería muy precipitado decirte algo ahora. Tengo muchas cosas que resolver. Aún es muy reciente lo que sucedió en la campaña. Tengo, sin embargo, compañeros del PRD con los que he establecido una relación de amistad muy buena, como Víctor Romo que ahora es asambleísta; Alejandra Barrales que es la coordinadora de la fracción perredista en la Asamblea Legislativa, y Jesús Valencia, secretario del PRD-DF. Tengo muchas expectativas de hacer una labor social más que una labor política. Conozco las necesidades de la Delegación y los problemas de inseguridad, de desigualdad. Conociendo toda esa realidad no puedo regresar a mi vida de antes, no puedo ser tan egoísta. Tengo interés en hacer trabajo con la sociedad. El hecho es que puedo conseguir apoyo del empresariado, tengo muchas relaciones, amistades que estarían dispuestas a participar conmigo.

Este proceso sin duda te hizo más fuerte, ¿qué parte de Guadalupe dejaste en el camino?

A la ingenua, la cándida y la confiada.

¿Estás enojada porque perdiste?

Al principio estaba deprimida. No quería ver a nadie. Había un sentimiento de derrota que no estaba acostumbrada a vivir. Me costó mucho trabajo reconciliarme conmigo misma. Perdonarme por haberme expuesto y por haber minimizado los riesgos que corría, la relación con mi marido, mi familia, mis amigos y mi profesión. Pero ya no estoy enojada y menos después de haberme expresado a través de este libro. Escribirlo fue un proceso totalmente catártico que me ayudó a darle un vuelco a una emoción negativa y transformarla en una reflexión muy constructiva y positiva, que espero le sea útil a otros.

¿Cuál fue la parte que te costó más trabajo escribir de La comedia electoral *y por qué?*

La distancia de las feministas. Eso sí me dolió.

¿Qué ganaste y qué perdiste en este proceso de tu vida?

Descubrí un tema en común con mi hijo Federico apasionante: la estrategia política. Perdí la oportunidad de haber consultado más a mi marido respecto a que si me lanzaba o no en una campaña. Eso me costó un fuerte desencuentro. Perdí dos meses de diálogo con él. Nunca terminaré de agradecerle su paciencia, su tolerancia, su apoyo y su amor. Por último, te diré que ahora más que nunca estoy convencida de que no tengo el perfil, no tengo el temperamento para ser política. Como explica magistralmente Vargas Llosa en su libro *El pez en el agua* (Seix Barral), en el que narra sus memorias como ex candidato a la presidencia de la República del Perú: "La política real, no aquella que se lee y escribe, se piensa y se imagina —la única que yo conocía—, sino la que se vive y practica día a día, tiene poco que ver con las ideas, los valores y la imaginación, con las visiones teleológicas —la sociedad ideal que quisiéramos construir— y, para decirlo con crudeza, con la generosidad, la solidaridad y el idealismo. Está hecha casi exclusivamente de maniobras, intrigas, conspiraciones, pactos, paranoias, traiciones, mucho cálculo, no poco cinismo y toda clase de malabares. Porque al político profesional, sea de centro, de izquierda o de derecha, lo que en verdad lo moviliza, excita y mantiene en actividad, es *el poder:* llegar a él, quedarse en él o volver a ocuparlo cuanto antes. Hay excepciones, desde luego, pero son eso: excepciones. Muchos políticos empiezan animados por sentimientos altruistas —cambiar la sociedad, conseguir la justicia, impulsar el desarrollo, moralizar la vida pública—, pero en esa práctica menuda y pedestre que es la política diaria, esos hermosos objetivos van dejando de serlo, se vuelven meros tópicos de discursos y declaraciones —de esa *persona* pública que adquieren y que termina por volverlos casi indiferenciables— y, al final, lo que prevalece en ellos es el apetito crudo y a veces inconmensurable de poder. Quien no es capaz de sentir esa atracción obsesiva, casi física, por el poder, difícilmente llega a ser un político exitoso".

Como dicen los niños traviesos cuando se descubre que han hecho una gran travesura: "No lo vuelvo a hacer…" En otras palabras, por lo pronto me niego a interpretar cualquier papel en la comedia electoral.

Agradecimientos

Muy especialmente a
Bernard Henri Lévy

Adriana Abdo
Sergio Aguayo
Beky Alazraki
Jairo Calixto Albarrán
Juan Álvarez
Federico y Cecile Antoni
Leonor Díaz Aranda
Marco Vinicio Arosqueta
Adrián Arroyo Legaspi
Amanda Azpiri
Claudia Azpiri
Esmeralda Badillo
Karla Badillo
Hilda Baena
Armando Báez Pinal
Alejandra Barrales
Agustín Basave
Trinidad Belauzarán
Sabina Berman
Lola Bernal
Óscar Mario Beteta
Eduardo Bojórquez
William Booth
Fernando Botero Zea

Diana Bracho
Tito Briz
Salvador Camarena
Carmen Cárdenas
Pepe Cárdenas
José Carral
Ireri Carranza
Rogelio Carvajal
Marina Castañeda
Ana Lilia Cepeda
Raúl Cerón
Felipe Chao Ebergenyi
Blanca Charolet
Nezly Cohen
Mari Carmen Contro de Razcón
José Antonio Crespo
Elvira Daniel de Sherem
Alejandro de la Vega
Fernando del Collado
Isabel del Llano
Claudia del Río
Martha Delgado
René Delgado
Denise Dresser
Jorge Durán Rivera
Arturo Elías Ayub
Daniel Espinoza
Armando Esponda
Laura Esquivel
Eduardo Farah
Jorge Luis Feher
Elizabeth Fernández
Joaquín Fernández
Carlos Fuentes
Roxana Fuentes Beráin

Jorge Gamboa de Buen

Jesús Javier García

Ma. Cristina García Cepeda

Ma. Teresa Gerard

Daniel Gil

Margarita González Gamio

Javier González Garza

Isabel González Rull

Ana Gabriela Guevara

Fernando Guisa

Hotel Hábitat

Dolores Heredia

Arturo Hernández E.

Jaime Hernández

Julio Hernández

Jorge Islas

Jaime Katzew

Ernesto Lammoglia

Adriana Landeros

Claude Le Brun

Carmen Lira

Estela Livera

Antonia Loaeza de García López

Natalia Loaeza de Lebreton

Donatella Lokar

Adriana Luna Parra

Celia Maldonado

Mario Malpica

Pablo Marentes

Alejandro Martí

Igor Martínez

Isaac Masri

Denise Mearker

Arturo Mendoza

Emmanuel Mendoza

Mariano Menéndez

Malú Micher

Isabel Molina

Alejandra Morón

Porfirio Muñoz Ledo

Humberto Musacchio

Yamil Nares

José Narro

Arturo Núñez

Leonardo Obregón

Margarita Ochoa

Guadalupe Ordaz

José Manuel Oropeza

Alejandra Orozco

Regina Orozco

Guillermo Ortega Ruiz

Alfredo Palacios

Angelina Peralta

Mario Alberto Pérez

Darío T Pie

Emmanuel Pikault

Joaquín Piña

Jorge Puga

Carlos Puig

Armando Quintero

Alejandro Ramírez

Graco Ramírez

Ricardo Raphael

Lázaro Ríos

Ricardo Rocha

Raúl Rodríguez

Andrés Roemer

Omar Rojas

Jorge Romo

Víctor Romo

Miguel Ángel Ruiz
Cuauhtémoc Ruiz de Chávez
Juan Salvídar
Javier Sánchez Magdaleno
Alejandro Sandoval
Hugo Scherer Castillo
Enrique Selvas
Carlos Slim Domit
Eduardo Solórzano
Javier Solórzano
María Teresa Soria
José A. Sosa Platas
Mauricio Soto
Dennis Stevens
Guillermo Suárez
Alfonso Suárez del Real
Joaquín Talavera
Fernanda Tapia
Alberto Tavira
Rafael Tovar de Teresa
Sergio Uzeta
Francisco Valencia
Joaquín Vargas
Héctor Vasconcelos
Ernesto Velázquez
Rogelio Villarreal
José Woldenberg
Rafael Yturbe
Jacob Zaga
Gerardo Zapata
Jorge Zepeda Petterson
Leo Zuckermann

Índice